KB075674

내가
사랑하는
노래

내가 사랑하는 노래

발 행 │ 2024년 2월 5일
저 자 │ 황규석(물에불린바나나)
펴낸이 │ 한건희
펴낸곳 │ 주식회사 부크크
출판사등록 │ 2014.07.15.(제2014-16호)
주 소 │ 서울특별시 금천구 가산디지털1로 119 SK트원타워 A동 305호
전 화 │ 1670-8316
이메일 │ info@bookk.co.kr

ISBN │ 979-11-410-7036-6

www.bookk.co.kr
ⓒ 황규석(물에불린바나나) 2024

내가 사랑하는 노래

황규석 지음

CONTENT

Chapter.2

힘든 현실을 잠시 잊게 만들다

Chapter.3

그때 그 사람과 그 순간이 떠오르다

Chapter.4

그리움과 사랑은 잊혀지지 않는다

머리말

이 책의 내용은 내가 사랑하고 즐겨 부르는 노래를 풀어놓은 책이다. 이 책의 제목으로 무엇이 어울릴까 고민을 정말 많이 했다. 그래서 제목을 '내가 사랑하는 노래'로 지었다. 내가 좋아하는 노래이자 내가 즐겨 불렀으며 흥얼거리는 노래다. 앞으로도 영원히 애정을 가지고 지나온 삶을 반추하며 추억을 떠올리면서 계속 부를 노래들이다.

모두 내가 어렵게 통과한 과거의 신산했던 삶에 묻어있는 대중가요에 관한 산문(散文)이자 잡문(雜文)이라 하겠다. 가요가 소재로 쓰인 개인의 생활 수기라 불러도 무방하다. 물론 좋아하는 팝송도 많이 있고 또 라디오로 듣기도 했지만 가사의 내용도 잘 모르고 음미하지 못하고 분위기에 따라간 노래도 있었다. 그러나 대부분의 노래, 즉 우리의 가요는 직접적으로 나의 마음에 와닿는 가사가 있었기에 그 상황을 떠올리고 염두에 두고 그리워하며 좋아했던 노래들이다.

난 이 책에서 개인적으로 좋아해 따라 불렀던 노래와 이 노래를 부르던 당시의 생활 이야기와 함께 가요에 대한 느낌을 옮겨보았다. 돌아보니 나는 역시나 별 볼 일 없는 삶을 살았던 것 같다. 하지만 누구나 그렇듯 나름대로 최선을 다하려 했던 흔적이 보이기도 해도 헛살지는 않았구나 하는 생각이 들었다. 버티고 또 이루지 못했지만 늘 뭔가 해보려고 열심히 발버둥쳤던 삶에 대한 고민과 노력의 흔적이 있었다.

여기에 담아낸 40곡의 노래를 추려내기는 힘들었다. 이 노래를 떠올리면 또 저 노래가 연상이 되었고 또 그 가수의 다른 노래도 줄지어 생각이 났기 때문이다. 여기에 언급된 우리 대중가요는 내가 힘들고 어려울 때마다 친구처럼 내 마음을 위로해주고 보듬어주었다고 생각한다. 독자 여러분들도 자기의 삶과 연결되는 노래가 다 있으리라. 힘들고 외로울 때 또 사랑을 느낄 때도 사람들은 노래를 불렀다. 그리고 같은 의지와 연대를 이룰 때도 노래를 부르며 힘을 냈으리라. 누구나 사랑하는 곁에 두고 자주 듣고 따라 부르며 힘을 내고 위안을 얻었으면 좋겠다.

이렇게 기억을 떠올려 노래를 따라 부르니 다시 젊어지는 기분이 들고 그때로 다시 돌아간 것처럼 설레고 두근거린다. 또 이루지 못한 사랑 마음에 상처를 준 사람들이 생각나 마음이 저리기도 한다. 뮤직비디오처럼 삶에 스며든 노래와 그 이야기로 빠져 2024년 갑진년 새해에는 이 노래들을 부르며 더 힘을 내서 마음을 담은 글을 열심히 쓰고 좋은 책을 만들어야겠다는 다짐을 한다.

그것이 나의 글을 좋아하고 응원하고 지켜봐 주시는 나를 아끼는 분들에 대한 보답이 아닐까 싶다. 오늘 밤엔 거실의 불을 끄고 반짝 반짝거리며 돌아가는 조명을 켜고 싶다. 그리고 무선 마이크를 들고 돌아가는 조명 아래 커피 한잔 맥주 한잔을 마시며 그 시절을 그때 사람들을 추억하며 마음을 다해 노래를 부르고 싶다.

Chapter.1

풋풋했던 그때 그 시절을 추억하다

제1화 사랑만은 않겠어요

- 윤수일 -

담배를 좋아하는 할머니가 막걸리를 거나하게 드시고 비틀거리고 집에 돌아왔다. 도축장에서 일하시는 며느리를 그러니까 어머니를 백정이라고 욕을 하시곤 했다. 일찍이 할아버지는 일본에서 돌아가셨다. 한국에 돌아와 4남매를 굶기지 않으려 바둥거렸던 할머니의 삶도 정말 신산하셨다.

충남 금산 시골에서 태어나 학교를 보내지 못해 학교를 가지 못한 나의 어머니. 자식 4남매 키우며 남편 수발하랴 애들 도시락 싸서 학교 보내랴 밖에 나가서 일하며 돈을 벌어야 생활이 가능했다. 우리 때의 어머니들은 고생도 참 많이들 하셨다. 어머니는 아버지의 택시 운전 수입만으로는 7식구의 벌이가 안 되어서 도살장에서 일을 시작했다. 집으로 일거리를 가지고 오시기도 하셨다. 얼마를 좀 더 버실려고 소가죽을 집으로 가지곤 오셨다.

소를 잡고 고기를 빼고 벗겨낸 낸 가죽은 정말 무겁고 컸다. 그걸 잘라서 가져오셨는데 그걸 부뚜막에 물을 넣고 삶았다. 이건 준비 과정이고 적당히 삶은 뒤 건져내서 또 커다란 고무대야에 넣고 털을 깨끗하게 깎는 게 일이었다. 가죽

11

은 가방이나 벨트 등을 만드는 데 사용한다고 들었던 거 같다. 동네 아주머니들이 아르바이트처럼 우리 집 부엌과 방에 와서 일을 도와주시기도 했고 일감 그러니까 털이 있는 소가죽을 가지고 가져가셔서 털을 깎아 가져오시기도 했다. 명절 같은 대목 전에는 일이 많아서 온 가족이 둘러앉아 슥슥 칼로 가죽을 벗겨내야 했다. 막 삶은 가죽을 솥에서 꺼내다가 뜨거워서 손을 데기도 했다.

털을 깎는 일은 얇은 도루코 면도칼로 했다. 그래서 날카로운 칼날에 손이 많이 베이셨다. 어렸지만 나도 누나도 형도 일을 종종 도왔다. 우리 집안일이니까. 죽을 끓이는 일도 쉽지 않았는데 나무 막대기로 잘 저어주며 눌어붙지 않게 해야했다. 골고루 익어 털이 잘 깎이게. 어머니가 힘드시니까 노래를 종종 부르셨다. 4남매 건사에 엄한 시어머니까지. 지금 생각하면 어떻게 그 힘든 일을 하시고 우리들을 키워내셨는지 상상이 안 간다. 일종의 노동요였다.

"헤일 수 없이 수많은 밤을…" 이미자의 동백 아가씨를 자주 부르셨다. 그리고 얼마 후 최신곡이 추가되었다. 이국적인 모습의 윤수일이라는 신인 가수의 노래였다. 나도 어머니 때문에 알게 된 노래가 윤수일의 〈사랑만은 않겠어요〉라는 노래다. 가끔 뜨거운 소가죽을 막대기로 저어주면서 쓸쓸하게 부르던 노래. "이렇게도 사랑이 괴로운 줄 알았다면…"하며 자신의 신세를 한탄하기도 하셨다.

당시 초등학생이던 내가 그 노래를 외워서 종종 불러드렸다. 가죽이 눌러 붙지 않게 연탄불 위의 큰 솥 옆에 앉아 막대기로 저으면서 노래를 부르며 어머니를 위로했다. 밖에서도 일하고 집에서도 일하는 어머니의 피곤과 졸음이 달아나게. 한시름을 덜었으면 하는 마음으로. 어머니의 마음을 알기에 사랑도 모르는 나도 자연스럽게 구슬프게 불렀다. 소가죽이 삶아지는 냄새와 연기가 가득한 부엌에서 바닥에서 털을 깎고 계시는 고생하시는 어머니를 위해서. 어머니께 내가 불러주는 노래를 좋아하셨다.

제2화 정아

- 김흥국 -

    1988년 대학 신입생 때였다. 당시 MBC에는 지금의 KBS1의 아침 휴먼 다큐멘터리 <인간극장>처럼 주 1회 <인간시대>라는 50분 다큐를 방영했었다. 평범한 우리 일반 사람들이 살아가는 이야기를 담담하게 보여주었다. 보통 사람들의 기쁨과 아픔이 드러나는 소시민의 일상을 보여주는 담백한 프로그램이었다. 나는 지금도 그렇지만 그때도 인간미가 넘치는 소박한 프로그램 사람 냄새 물씬 풍기는 프로그램을 좋아했다. <정아의 겨울이야기>라는 타이틀로 방송이 되었다. '김흥국 정아'로 검색했다. 32년 만에 나도 다시 유튜브로 '정아'를 다시 만나보았다. 뇌종양을 앓는 가난한 무명가수의 딸이 강북구 번동 자양중에 다니던 여중생 정아와 가족의 이야기였다. 그런데 정말 가슴 아픈 이야기였다.

    지금 보니 노래는 내가 좋아하는 '배따라기'의 이혜민이 작곡을 했다는 것을 알게 되었다. 그래서 분위기가 좀 슬프고 아련하다는 생각이 들었다. 여하튼 그 불치병(백혈병)에 걸린 소녀를 돕는 당시에는 철저히 무명이었던 가수 김흥국도 풋풋한 콧수염을 단 젊은 모습으로 소녀를 앞장서 돕는 역할로 등장한다. 방송이 끝나고도 여운이 오래 남았다. 그리고 봄날 교양수업 때다. 수업이 끝나갈 무렵 질문을 하라고 교양 교수님이 말했을 때 난 머뭇거리다가 갑자기 용기를 내 손을 들었다. 그 감정을 다른 아이들에게도 전해주고 싶어서 였다. "뭔가? 무슨 질문 있나?" "노래 한 곡 하고 싶습니다.." "음. 그래? 해보게" 다들 날 이상하게 돌아보았다. 그래서 칠판 앞에 나가서 노래를 불렀다.

왜 그랬을까? 공명심 아니 그냥 뭔가 아직 모르겠다. 그냥 수업은 별로였고 그 정아의 아픈 모습이 뇌리에 깊이 남아있어서 '정아'를 돕고 또 알리고 싶은 마음이 있었나 보다. 그래서 첫 음절은 떨려서 흔들렸지만 분위기 잡고 못하는 노래지만 학생들 앞에서 이 노래를 가만히 불렀다. 바로 이 노래. 그냥 '정아'를 위해서. 강의실은 아이들은 그때 어땠을까. 나중에 방송을 보니 실제 '정아'는 얼마 지나서 짧은 생을 마감했다고 한다. 정말 슬픈 결말이다.

제3화 그날이 오면
- 노래를 찾는 사람들 -

　　1989년 상병 말호봉에 하사관 교육대에 들어갔다. 6주간의 교육을 받고 하사 계급장과 푸른 견장을 달았다. 평소에 갈고리를 단 계급도 병장보다 높아 좋았다. 그리고 초록 견장도 멋있게 보여 하사를 꼭 달고 싶었다. 그리고 무엇보다 월급이 3만 원대로 올라서 너무 좋았다. 3개월에 한 번씩 100% 보너스가 나오면 6만 원이 넘는 목돈(?)을 받았다.

　　그래서 나도 이제 말년에 지겹고 힘든 군 생활에 좀 여유가 생기는구나 하고 든든한 기분이 들었었다. 분대원을 챙기고 교육 훈련을 지도하는 초보 지휘관이 된 것이다. 하사관 교육대에 입소하여 6주간의 훈련을 받았다. 그리고 4박 5일의 위로 휴가를 나와 용산에서 T.M.O 기차를 타고 대전역에서 내렸다. 중앙시장을 걸었다. 어머니는 중앙시장 순댓국, 감자탕집에서 일했다. 오정동 도축장에서도 일을 마치고 나서 거래 식당의 일을 도와주시기도 했다. 그때 참 힘들었다.

　　어머니를 만나고 집에 돌아가는 길 홍명상가 앞 리어카 가판대에서 낯 설은 노래가 흘러나왔다. 복사된 가요 테이프를 파는 이른바 길보드 차트였다. 처음엔 한사람이 부르더니 자중엔 장중한 합창곡 같기도 하고 멜로디도 기존의 사랑 타령이 아닌 멜로디가 새로웠다. 한 사람이 노래를 중간에 하기도 하고 민중, 그날 등 생경한 단어가 귀에 뭔가 울림이 있게 박혔다. 녹색 견장을 단 칼날같이 다려진 군복을 입고 한참을 그 결의에 찬 노래와 멜로디를 들었다. 집에 들어와도 계속 귓가에 그 노래의 여운이 남았다. 어머니의 고생스런 모습도 그 노래 위에 아련히 남아있었다. 그리고 다음 날 시내에 사복을 입고 나와 그 리어카 노점상에서 인상깊었던 노찾사의 복제 테잎을 샀다.

노래를 찾는 사람들 2집이었다. 군대에 일찍 가서 사실 나는 민주화 운동을 하지는 못했다. 그래서 조금 미안한 느낌도 가지고 있다. 하지만 전 세계의 축제라는 88 서울올림픽이 열리던 해에 자원입대해 매일 구타에 시달리며 군 생활을 했다. 유언장을 써놓기도 했다. 난 나라를 위해 전방에서 자원해 근무를 했다. 자원입대는 나의 자랑이자 자존심이다.

그러나 내가 알지 못하고 참여하지 못한 어떤 미안함도 있었다. 가려진 또 아픈 역사의 진실에 대한 나의 인식은 늘 아프고 부족한 모습이다. 5.18 광주 민주화 운동도 그렇다. 대학 입학 후 첫 M.T로 광주 무등산에 갔다. 그런데 술을 진탕 마시고 쓰러지기까지 했으니 말이다. 그 아픈 역사의 흔적이 남아있는 땅에서 말이다. 신문 배달을 하며 영화 포스터를 찍으려고 할부로 산 니콘 자동카메라를 술에 취해 민박집에 놓고 와 소포로 돌려받기도 했다.

그 사건을 공부하고 위로하기도 부족한 시간에 무등산에서 술판을 벌였으니 말이다. 그래서 늘 부끄럽기도 하고 부채의식이 있는 시기가 바로 그때다. 여하튼 자대에 복귀해서도 테잎은 가져올 수 없었기에 종이에 적어온 "그날이 오면" 노래 가사를 조용히 읊조리기도 했다. 그리고 1990년 12월 8일 그 지겹고 힘든 군 생활을 딱 30개월을 채우고 제대를 하였다. 복학은 이듬해 가을 1991년 8월에 1학년 2학기로 복학을 하였다. 1학년 예비역이 된 것이다. 아직 군에 가지 않은 88학번 동기도 있었다.

당시 밤 12시가 넘으면 노래방, 술집 모두 문을 닫았다. 그러다 삼성동 사거리 농수산시장 옆 2층 '타타타 노래방'을 알게 되었다. 셔터 철문을 두드리면 사장님이 나와 셔터를 올려줘서 들어갈 수 있었다. 이미 술에 취한 상태였지만 내가 끌고 갔다. 동기들 그리고 선후배들과 "솔아 솔아 푸르른 솔아" "광야에서" "사계" 등을 목놓아 부르고 가슴이 먹먹해지곤 했다. 다 좋은 민중가요였다. 기존의 노래와는 다른. 그래도 역시 제일 울림이 있는 노래는 "그날이 오면"이 아닐까 싶다. '노래를 찾는 사람들'의 모든 노래는 어떤 울림이 있는 가슴 저 밑의 양심을 끌어 올리는 노래였다.

제4화 골목길

- 이 재 민 -

　군대 입대하고 신교대 마치고 자대배치 받고 정신없이 생활 했다. 가르쳐준 대로 또 이미 하고 있는 대로 양파망 속에 넣은 세탁비누로 거품을 내서 식판을 닦았다. 물이 안 나오면 막사 근처의 개울에 가서 모래와 풀을 뜯어 식판을 흐르는 물에 닦았다. 우유에 짠밥을 말아 먹으며 계급이 무서운 걸 알고 입대 순서가 한 달이 빠른 게 장땡이고 3개월 혜택이 45일 혜택이 정말 부럽고 무섭다는 것을 알게 되었다.

　매일 얻어터지며 육신을 혹사시키고 그동안의 나태를 깍아내는 훈련을 했다. 가요도 군대에서 부르면 군가가 되었다. '세상 모르고 살았노라', '소양강 처녀', '찔레꽃 당신' 등의 가요를 군가로 부르며 생활했다. 아침 기상 후 연대 한 바퀴를 헥헥 거리며 웃통을 벗고 뛰는 알통 구보도 하였다. 그리고 그해 여름인가 우리 육탄돌격 78연대 11중대 1소대가 소풍 야유회를 가게 되었다. 부대 앞 도로에서 춘천 쪽으로 56번 도로를 가다 보면 있는 제법 큰 개울가로 식당에서 생닭을 사고 김치를 얻고 큰 냄비도 인사계가 구해주었다. 소대장이 막걸리도 말로 받아주었다.

부대 근처 개울가의 넓직한 큰 바위로 가서 백숙을 끓여 먹고 막걸리도 마셨다. 그게 우리 소대 부대 회식이었다 모처럼 포식하고 이제 흥이 올라 노래를 부르는 여흥의 시간. 내가 또 자천타천 나섰다. 반주? 그런 거 없다. 박수로 "살리고 살리고~" 이어서 "노래 일발 장전! 발~사!"하면 자동으로 나와야 했다. 신나게 막내급인 이등병인 내가 나서서 부른 노래가 이재민의 '골목길'이다. 엉성한 로봇춤을 흉내내면서 모두가 신이 나서 열광했다.

분위기 띄우기에 좋은 노래 골목길은 탁월한 선택이었다. 그래서 내가 선임들에게 "오 좀 노는데!"라는 인식을 처으로 심어준 노래가 바로 '골목길'이다. 내 후임들은 자동적으로 나와 막춤을 같이 추었다. 반주도 없었지만 박수로 박자를 맞추고 어설프게 불러도 신나는 부담 없는 노래로 후에도 소대의 애창곡이 되었음은 물론이다. 고단한 군 생활을 막걸리 한잔과 풀어 내주었던 노래가 바로 이 신나는 댄스곡 "골목길"이었다. 당시에는 좀 생경스럽게도 랩이 나오기도 해서 더 재미있었다. 이 노래를 부르면 나이를 먹어가도 세상과 단절되어 있어도 노래로 젊음과 유행과 떨어지지 않는 끈을 잡고 있는 느낌도 들었다. 노래를 잘 부를 필요 없이 개성있게 부르면 좋은 노래가 바로 골목길이다. 그나저나 골목길이 계속 사라져서 안타까울 뿐이다.

제5화 지금 그대로의 모습으로
- 유열 -

1988년 6월 10일 논산 훈련소로 입대를 하였다. 그런데 어찌어찌하여 전방 강원도 화천군 사창리 27사단 이기자 부대까지 가게 되었다. 시쳇말로 돈 없고 빽도 없어서 그랬다. 79연대 신교대 훈련 때의 일이다. 신병 훈련을 시작하자 한참 무더위가 시작되었다. 사격장까지 뺑뺑이를 돌면서 갔다. 사격장 군기는 생명과 직결되기에 아직 사제물(민간인 기운)이 덜 빠진 군복만 걸친 오합지졸에겐 긴장의 연속이었다.

멀.가.중! 멀.중.가.중! 즉 멀리 250m, 가까이 100m, 중간 200m 거리 이 순서대로 사격을 했다. 그리고 피가 나고 알이 배기고 이가 갈린다는 피알아이(PRI) 훈련 영점 사격 후 표적지로 가보니 웬걸 구멍이 하나도 안 보이는 훈련병도 많았다. 다행히 난 사격은 그럭저럭 잘했다. 자대에 가서 저격수로 뽑혀 사격대회도 나가고 그랬다.

여하튼 그때 암울했던 신교대 사격훈련에서 기억나는 일이 있다. 잔뜩 찌푸린 오후 어느 날. 금방이라도 소나기가 떨어질것 같았던 1988년 6월 말쯤이었을까. 담배 1발 장전! 모두가 땀에 절어 꽹하고 햇볕에 탄 구리빛 훈련병들의 얼굴에 일순간 미소가 퍼졌다. 곳곳에서 연기가 피어올랐다. 2차대전 그리고 한국전쟁 때도 사용한 듯한 낡고 찌그러진 메이드 인 USA 수통을 열어 미지근한 물을 벌컥벌컥 마셨다. 담배를 안 피우는 난 멀뚱멀뚱했다. 차라리 눕거나 잠을 자게 했으면 좋았는데.

"누구 노래 한 곡 불러라!" 한 고참 조교가 기진맥진하여 앉아있는 훈련병들 사이로 말했다. 다들 힘이 없었다. 그때 제일 왕고참 조교 화이바 하나가 바로 우리 소대 소대장으로 별명이 과테말라였다. 작고 다부진 체구에 검은 피부를 가졌다. 아무 반응이 없자 과테말라가 누굴 지목했다. 신교대 기간병 막내였나 싶었다. 키가 크고 덩치가 있었다. 앞으로 나오더니 화이바를 벗었다. 동글동글한 앳된 모습이었다. 사총한 대열 앞으로 가서 노래를 시작했다.

첫 소절이 나오자 모두가 의외라는 표정이었다. 그리고 집중해 귀를 기울였다. 바로 대학가요제 대상곡인 유열의 '지금 그대로의 모습'으로였다. 나도 MBC 대학가요제를 좋아해서 매년 가을이면 방송을 즐겨보곤 했었다. 샌드 페블스의 '나 어떡해' 김학래, 임철우의 "꿈의 대화"는 아직도 나의 노래방 애창곡이다. 그런데 군대 입대 전 그 노래는 별로 느낌이 그렇고 그랬다. 그런데 우중충한 남자들만 있는 그곳에서 신참 조교가 사격장에서 손을 모으고 굵고 말게 부르던 그 노래를 잊을 수가 없다. 강원도 어디인지도 잘 모르는 군대 훈련소 사격장을 울리는 맑은 가곡 같은 노래의 선율. 너무 멋드러지게 불러 박수갈채를 보냈다. 지금도 그 노랫소리가 들리는 듯하다.

고막을 때리던 총소리가 멈춰지고 화약 냄새마저 잊게 만들었다. 모두가 가만히 귀를 기울였다. 나도 조용히 눈을 감았다. 지금 그대로의 모습으로 집을 떠나 와있는데 나 자신이든 가족이나 친구든 30개월 후 집에 돌아갈 수 있다는 현실이 아팠다. 과연 그 시간이 돌아올까? 그때 내가 만나고 싶은 가족과 사람 친구들은 변하지 않고 있을까. 그동안 난 나는 잊혀지는 게 아닐까. 가사를 음미하니 갑자기 코끝이 찡해졌다. 오늘 운전을 하다가 무심히 자동차 라디오 채널을 돌리는데 이 유열의 노래를 흘러나왔다. 나는 볼륨을 높였다. 유열 가수는 이후 아침에 유열의 음악앨범이라는 가요 프로그램을 진행했는데 그 프로그램도 즐겨 즐겨들었다. 다양한 청취자들의 사연과 함께 노래가 소개되었는데 특히 사랑과 이별의 이야기가 너무 좋았다. 이후 송채환이라는 배우가 음악앨범을 진행하기도 했다.

제6화 떠나지마

- 전원석 -

신입생 환영회. 아니지 대학 신입생들이 스스로 주최하고 하는 개강파티는 돈가스를 파는 '드 빠리'라는 대전 은행동의 경양식집에서 열렸다. 그날을 위해 양식집 에티켓을 준비했다. 물어도 보고 포크와 나이프가 있다고 생각하고 총각김치의 무를 자르고 젓가락으로 찍어 입에 넣었다. 행주 같은 흰 수건을 접어 무릎 위에 놓고 다소곳이 들어 입가를 닦는 시뮬레이션도 미리 해봤다. 처음이 아닌 것처럼.

그날도 역시 새벽 신문 배달을 마쳤다. 고3에 시작한 신문 배달. 1987년 12월 학력고사 날도 신문 배달을 했다. 이듬해 1988년 6월 육군 자원입대하는 날도 신문 배달을 마치고 혼자 훈련소에 갔었다. 그러니까 입대 전 아마도 4월에 개강 파티를 하지 않았나 싶었다.

대낮에 얼굴을 씻기도 처음이었다. 아버지가 바르던 맨담 로션도 발랐다. 개중에 깨끗한 옷을 갈아입었다. 봄이니까 얇은 잠바도 걸쳤다. 지금의 바람막이. 아버지가 입었고 또 형도 같이 입던 잠바를 내가 입고 나갔지 않았을까 시내로 나가는 버스를 타러 29번 버스를 탔는데 설레임으로 몸은 이미

풍선처럼 부풀어 하늘 위를 날았다. 성심당을 지나 골목길 2층 계단을 오르는데 이제 떨리고 긴장이 되는 것이었다.

한 사람씩 자기소개 인사를 하고 서로 훔쳐보고 설레고 마음에 품었다. 그리고 사회자인 과대표의 장기자랑 안내. 돈까스가 코로 들어갔는지도 몰랐다. 내가 용기 있게 나섰다. 그때 찍은 사진이 아직 남아있다. 아우~ 쑥쓰러워... 떠나 보내거나 떠나보냈던 사람도 없었다. 그 가슴 시린 사랑의 기억도 없었다. 그러나 저 노래가 좋았다. 애절한 선율과 남자의 미성이 좋았다. 그저 풋풋한 애송이가 부르는 이별의 노래. 모두들 내 노래 가사에 귀를 기울였다. 조용히. 난 전원석이라는 가수의 음색도 좋았고 이 노래가 그냥 마음에 들었다.

제7화 당신의 창가에
- 배따라기 -

　재수한 친형이 서울의 학원에 다닐 때 썼다는 카세트를 가지고 내려왔다. 일제 AIWA 카세트. 특이한 게 오토리버스 기능이 있는 것이었다. 정말 그것은 내 귀가 느낀 신세계였다. 테잎이 다 감기고 마지막 부분에서 차르르 참기름이 발라진 듯 미끄러지게 부드럽게 착 감기게 돌면서 역방향으로 플레이가 되는 신문물을 보았다. 헤드폰 역시 돌비 스테레오(DOLBY STREO) 사운드라 웅장하고 귀에 착착 감기는 정말 실제 악기가 연주하고 있는 듯 입체감 있는 음악이었다.

　그때 내 맘에 들어와 즐겨들은 노래가 배따라기의 노래 '그댄 봄비를 무척 좋아하나요' 남자와 여자가 번갈아 부르는 감미로운 목소리. 형이 서울 재수학원 영등포 정일학원으로 올라가고 집에 두고 간 카세트. 난 시장 입구 레코드 가게에서 배따라기 3집 앨범을 샀다. 그 앨범의 타이틀곡이 <당신의 창가에>였다. 이 노래도 너무 좋았다. 자극적이지 않고 속삭이듯 담백하게 연주가 되는 음악에 사춘기 소년의 감성이 폭발하였다. 당시 우리 집에 자랑거리가 있었다. 초등학교 때 가정환경을 조사할 때 손을 번쩍 들은 항목이 전축. 독수리 표 전축은 화장대 겸용이었다. 커다란 화장 거울 아래로 화장품을 보관하는 화장대가 있고 아래의 미닫이문을 좌우로 열면 턴테이블이 나왔다. 난 턴테이블이 있는 독수리 표 전축도 즐겨 들었다. 조심스럽게 앨범을 꺼내 걸고 바늘을 들면 레코드가 꿀렁거리며 돌아갔다. '츠으~윽'하고 바늘이 내려가면 소리가 나왔다.

배따라기의 이혜민은 정말이지 천재 작곡가가 아닐까. 노래가 좋으면 가수를 좋아하게 되고 그 노래를 듣다가 그의 다른 노래를 또 찾아 듣게 된다. 그 앨범의 다른 곡들도 감성이 풍부해서 금방 듣고는 좋아하게 되었다. 배따라기의 노래는 화려하지 않고 소탈해서 좋았다. 소년, 소녀의 때 묻지 않은 감성이 절절히 묻어난 노래였다. '유리벽 찻집'도 좋았다. 감정이 고조되면서 샤우팅하는 노래 '그대 작은 화분에 비가 내리네'도 비가 오는 날에는 딱 듣기 좋은 노래였다. '비와 찻잔 사이', '수선화'도 좋았다.

아! 정말이지 배따라기 노래는 비가 오는 날 흐린 날에 들으면 너무 어울리고 좋다. 마음이 차분해지면서 감정이 고조되는 참 사랑스러운 노래다. 당시 난 예민한 고등학생이었는데. 뭘 얼마나 체험을 하고 알았겠냐 마는 나만의 우주에서 짝사랑과 이별과 기다림이 펼쳐지고 별똥별을 바라보며 소원을 빌고 있었다.

제8화 나는 사랑에 빠졌어요

- 이 선 희 -

이선희(李善姬). 84년 강변가요제 4막 5장 팀으로 출전해 <J에게>로 대상을 타고 혜성처럼 나타난 이선희는 국민가수다. 아직도 그녀의 노래와 시원한 가창력은 넘사벽이라고 감히 말할 수 있다. 뻥 뚫린 고음과 빼어난 감성의 가사 전달력으로 고삐리인 내 마음을 단번에 사로잡았다. 작고 귀여운 용모도 난 좋아했다. 지독한 가수 이선희 앓이의 시작. 나의 고등학교 3년은 오매불망 이선희를 추앙하는 시대였다.

고등학교 앞 도마동 사거리 레코드 가게에 앨범을 늘 주문을 했다. 1집부터 3집까지 레코들 연거푸 사서 줄창 독수리 전축에 넣고 즐겨들었다. 모든 곡의 가사와 음정은 당연히 외웠다. 나에겐 타이틀곡뿐만 아니라 모든 곡이 좋은 가슴을 후벼 파는 노래였다. 연예인 같지 않은 안경을 쓴 친근한 모습. 작은 체구에서 뿜어져 나오는 시원한 고음은 사춘기 소년의 마음을 훔쳐 가기에 한치의 부족함이 없었다.

그리고 난 난생처음 이선희의 팬클럽이 있다는 것을 알았다. 팬클럽인 '홍당무'에 연회비를 내고 가입을 했다. 매달 회원들이 그린 선희 누나 그림과 이선희에 대한 사랑을 담은 편지와 동정이 나오는 회지를 집에서 받아보았다. 그리고 팬 클럽 회원끼리 펜팔을 하기도 했다. 거기에서 나도 많은 펜 팔 친구와 편지를 주고받으며 칙칙했던 학생 시절을 즐겼다.

얼마 후 서대전 사거리 기독교 연합봉사회관에서 있었던 제1회 소년, 소녀 가장 돕기 콘서트에 가기로 결심했다. 그녀 의 얼굴과 노래를 직접 내 눈앞에서 라이브로 듣는 기쁨을 맛보기도 한 것이다. 그때가 처음으로 콘서트 표를 사서 입 장. 그룹 '건아들'이 반주와 세션을 한 기억이 난다. 코니카 사진기를 가져가서 열기가 가득한 현장을 찍었다. 분홍바지, 분홍 자켓을 입고 노래하는 그녀의 모습에 정말 황홀해했다.

정말이지 고등학교 1학년 질풍노도의 한 시기에 그녀의 노 래가 얼마나 큰 위안과 행복을 주었는지 모른다. 공부는 관 심이 멀어졌지만 칙칙거리며 돌아가는 전축판의 청아하고 구 슬프고 애간장을 녹이는 목소리를 들으며 다다를 수 없는 구 원의 손짓을 그려보았던 시절 이선희의 노래 이야기는 언제 고 끊어지지 않게 할 수 있다고 생각한다. 이 노래는 시작부 터 색다른 창법으로 마음을 울렸다. 고백하듯 또 고조되는 아픔이 가슴. 또 사랑의 절절함은 어떤가.

제9화 미소 속에 비친 그대

- 신 승 훈 -

　제대 후 복학하기 전까지 좀 놀고 쉬고 싶었지만 가정형편상 돈을 벌기 위해 일을 했다. 가을 1학년 2학기 복학 후에는 마음을 다(?)잡았다. 정말 처음이자 마지막(!)으로 정말 원 없이 열심히 공부했다. 장학금을 한번 받아 볼려고 코피까지 흘리며 밤도 새고 도서관 자리가 없어서 불 켜진 강의실을 찾아다니며... 그런데 군 제대 후 머리엔 녹이 슬었다.

　그래서 처음부터 다시 시작 해야했다. 모든 걸 불태우고자 했다. 제대 후 대학에 입학해 첫 눈에 반해 좋아했던 짝사랑했던 소피 마르소를 닮은 동갑내기 친구는 선배의 약혼녀가 되었다. 허전한 마음을 둘 곳이 없어졌다. 그래서 그럴까 더 공부에 매진했다. 남보란 듯이 나를 증명해보고 싶었달까.

　언어라는 것이 불어라는 외국어 공부는 그런데 한 번에 되는 공부가 아니었다. 고등학교 때 접하지도 않은 외국어. 그러니까 전공을 대학에 가서 처음으로 ㄱ,ㄴ,ㄷ,ㄹ,을 처음 배운 셈이었다. 그마저도 군대 가서 총을 만지느라 산을 박박 기어 다니고 얻어터지느라 모두 까먹고 다시 배워야 했다. 그렇게 30개월간 깡그리 읽어버렸다가 다시 책을 들으니 겸은 건 글자고 흰 건 종이였다. 파릇파릇한 친구들과 시험을 보고 나니 밀려드는 허전한 맘. 그 마음을 달래려 부산으로 가는 무궁화호 밤 열차를 무작정 타고 내려갔다. 태종대에 가서 온 힘을 쏟아낸 뒤 공허함을 푸는 나만의 뒤풀이였다.

새벽에 태종대에서 검푸른 바다를 파도를 보았다. 드디어 결과가 나왔다. 내 앞 앞에서 성적 장학금이 컷트라인에 걸렸다. 45명 중에 4등까지 장학금을 주는데 나는 5등 너무 아쉬웠다. 조금만 더할 걸 하는 아쉬움. 그리고 현역과 달리 요령도 부족했다. 그때 걸린 발동이 제대로 걸려서 공부와 잘 연결이 되었다면 지금쯤 고등학교에서 분위기 있는 멋진 불어 선생님이 되어있지 않았을까. 샹송을 부르고 가르쳐주는.

여하튼 당시에 내가 인기가 있었고 좋아하던 노래가 바로 길보드 차트를 휩쓸었고 이후 발라드 황제의 길을 걷게 된 고향 대전 출신의 신승훈의 자작곡이자 데뷔곡인 <미소 속에 비친 그대>라는 노래다. 어떤 노래건 마음에 와닿는 노래는 가사를 나에게 대입시켜 보고 연관지어 분위기를 느끼곤 한다. 이 노래 역시 그렇게 다가온 노래로 길다랗고 작은 연두색 인켈이라는 회사의 카세트 데크로 열심히 듣고 불렀던 노래다. 늘 그렇듯 연인이 없으면 어떠랴. 그냥 가상의 연인을 생각하고 불렀던 노래였다.

제10화 더 이상 내게 아픔을 남기지마
- 하 수 빈 -

　단도직입적으로 묻겠습니다. 두유 노 Ha Su Bean? 하수 빈을 아십니까? 전 하수빈을 짝사랑했었는데 진짜 좋아해서 카세트 테잎을 쉼 없이 들으며 또 라디오에서 이 노래가 나 오면 볼륨을 높이고 귀 기울여 들었었죠. 사랑의 주인공 이 별 영화의 주인공이 되어 가슴 떨리는 사랑을 꿈꾸곤 했답니 다. 복학하고서 또 수컷본능이 나오니까 국방색 야상을 걸쳐 입고 멋진 척 캠퍼스를 맥없이 돌아 다녔구요. 물에불린바나 나의 노래를 연재하면서 빼먹을 뻔한 가수와 노래가 많아요. 그중에 정말 중요한 가수가 바로 여리여리했던 하수빈입니다.

　그녀는 정말 이국적인 모습이었다. 하얀 공주 원피스 커다 란 눈 와 알프스 초원에서 갓 튀어 나오는듯한 챙이 넓은 모자 를 쓰고 다소곳이 그러나 훅 나타나 숫총각의 마음에 불을 지른 그녀의 이름은 하.수.빈. 이름에서도 공주풍이 느껴지는 '빈'... 그야말로 녹여주는 이름이었어요. 우리 때 만해도 여 자 이름음 무슨 자, 무슨 숙, 무슨 경, 무슨 희자가 많더랬 다. 노래 또한 얼마나 감미로운지 모른다.

　당시에 하수빈과 라이벌 여가수가 있었는데 보랏빛 향기의 강수지다. 그녀 역시 가냘프고 연약한 모습으로 남자의 보호 본능을 자극하는 용모였기에 남자들에게 인기가 많았다. 하얗고 긴 치마를 살랑거리며 호소하듯 여린 사슴 같은 눈망울로 마이크를 잡고 노래하는 모습이 뽕간 남학생들이 정말 많았다. 나도 둘 다 좋아했는데 왠지 더 이국적이랄까 청순해 보이는 하수빈의 얼굴과 노래에 마음이 더 갔다.

신인가수 하수빈의 데뷔앨범의 다른 곡인 '노노노노'도 좋아해서 그런 것일지도 모른다. 이 노래는 경쾌한 댄스곡이다. 여하튼 하수빈의 당시의 매력은 20대 초반의 나에게 정말 신선하고 청초한 눈빛과 하얀 피부가 매력의 가수로 다가왔다. 그리고 청순가련한 모습과 어울리는 이런 애잔한 발라드 노래도 참 좋아했던 기억이 선명하다. 이 노래는 그저 들으면서 창밖을 바라보며 미지의 그녀 또는 내가 짝사랑했던 소녀를 생각하며 들으면 좋은 노래였다.

Chapter.2

힘든 현실을 잠시 잊게 만들다

제11화 슬픈 언약식

- 김 정 민 -

"너를 내게 주려고 난 혼자 둔거야~ 내 삶을 지금껏 나에게..." 내가 외롭게 혼자인 이유는 오로지 너에게 온전히 당당하게 다가가기 위해서 혹은 헌신하기 위해서라는 이 첫마디부터 폐부를 찌르는 감동이 다가왔다. 첫 소절부터 내지르는 시원하고 우수 깊은 창법. 가사가 쏙쏙 와닿는 노래다. 키가 큰 이목구비가 뚜렷한 남자가 봐도 남자다운 남자가 당당하게 마이크를 잡고 시원하게 부르는 이 노래 '슬픈 언약식'을 모르는 사람은 거의 없으리라 생각한다. 공전의 히트를 했으니. 노래가 좋으면 서로 추천하고 함께 듣곤 하였고 노래방에서도 즐겨 불렀다. 그 당시 27, 8년 전에도 그랬다.

당시 나는 신탄진에 있는 이불과 타올을 만드는 작은 봉제공장에 다녔다. 원단을 공장에 싣고 왔고 백화점에도 납품하는 운전기사였다. 잘 살지도 못하는 집안이었는데 그놈의 낙찰계 피해를 받아 도축장에서 선지 일을 하시던 어머니가 크게 보셨다. 계주의 부도와 파산으로 여러분들을 소개도 했던 어머니에게도 그 피해가 갔다. 물론 어머니도 피해가 컸고 고스란히 우리 집에도 영향이 전해졌다.

난 제대 후 복학을 했는데 장학금을 못 받고는 학교에 환멸을 느꼈다. 인간관계도 싫었고 그래서 다시 휴학을 했다. 영화공부도 하고 월간 스크린을 통해 '영화세상'이란 모임을 만들어 활동하고 있었다. 한 달에 한 번씩 소식지를 만들어 발송을 해줬다. 서울의 극장을 돌며 전단지를 모아서 월간 회지와 함께 보냈고 대전이나 서울에서 회원들끼리 만나 영화이야기도 나누는 영화광이었다. 소식지는 이후 시네마테크 컬트를 운영하며 4년이 넘게 50권 정도를 만들었다.

그때 이성의 친구와 편지로 우정을 나누다가 사귀기도 했는데 그때 친구도 좋아한 이 노래도 공 카세트 테잎으로 녹음을 해서 편지와 선물로 보내준 기억이 난다. 여하튼 형편이 어려워져서 난 교차로 구인란을 보고 변두리 신탄진의 타올 공장의 운전기사로 일을 하게 되었다. 공단에서 타올 원단을 실어오고 공장에 가져오면 재단을 하고 재봉하여 주문 기본인 타올과 함께 면 잠옷, 이불 등을 만드는 공장이었다.

그전에는 공사장 막일을 자주 했는데 어쩌면 처음 정식으로 들어간 일터였다. 공장에 들어가면 10여 대의 전기 재봉틀이 돌아가고 있었다. 앞에는 어머니뻘 되시는 아주머니들이 앉아서 열심히 자른 원단을 연결하고 마지막으로 상표를 붙이는 등 정신없이 시끄러운 작업이 이루어졌다. 직장동료인 아주머니들과 부대끼며 한참 피가 끓었지만 인생을 몰랐던 청년에게 인생을 조금은 배워가던 시절이었다. 난 원단공장에 가서 타올 작업 물량을 가져오고 완제품을 도매점에 전달했다. 2차 가공공장에 배달도 했다. 목욕가운도 만들었는데 몇몇 백화점에 납품하고 배송하기도 했다. 그리고 재봉사 아주머니들의 아침 출근과 퇴근을 그레이스 봉고차로 도왔다.

막막한 첫 직장생활의 힘이 되어준 노래가 바로 이 김정민
이라는 신인가수의 '슬픈 언약식'이었다. 역시나 공장 안에
틀어놓은 라디오에서도 들을 수 있었는데 자주 만날 수 없는
여자 친구도 생각나고 갑자기 힘들어진 집안 형편이 화학작
용을 일으켰다. 아직도 즐겨듣고 따라 부르는 그 시절 아프
고 공허한 마음을 채워주었고 위로가 된 멋진 노래다. 그 당
시 사랑이란 그냥 형편상 섣불리 다가갈 수 없다고 생각을
하였다. 이루어질 수 없는 사랑. 아직 언약식이 뭔지도 모른
다. 그 어떤 무엇을 노래한 노래로 이 노래가 말한 하늘, 축
복, 눈물, 아련한 비장미가 느껴졌다.

힘들지만 희망을 잃지 않겠다는 선언과 출정식과 같은. 그
리고 이제 어느덧 50대 중반 나이 60을 향해 달려가는 나이
가 되었다. 그때는 영원히 20대가 계속되는 줄 알았다. 20대
중반을 넘은 시기 앞서지도 뒤로 물러서지도 못하고 방향을
잡지 못해 모든 게 그냥 정체되는 기분이 들었다. 우울하고
불안했던 내 청춘을 가만히 위무했던 김정민의 '슬픈 언약식'
을 난 아직도 또 절대로 잊지 못한다. 그리고 가끔 혼자 나
직이 불러보곤 한다. 그리고 포기하지 않고 그래도 이 정도
면 잘 버텨냈다고 나를 칭찬하고 싶다.

제12화 물보라

- 최진희 -

중 3때였나... 1984년 LA 올림픽때. 여름 방학 때 금강 유원지에 (지금 경부고속도로 그맘 휴게소) 물놀이를 친구들과 갔었다. 텐트도 없이 그냥 라면과 쌀과 과자만 조금 챙겨서. 시외버스를 타고 휴게소에서 내렸다. 밤에 나뭇가지 꺽어 꽂고 큰 타올 걸치고 자갈밭 위에서 잠을 잤다. 한밤중에 갑자기 후두둑 비가 내리기 시작했다. 소나기라 금방 그칠줄 알았는데 비가 거세게 한참을 내렸다. 강가의 자갈 위에 있었는데 강물이 급격히 불어나서 겁이났다. 우린 짐보 따리를 싸서 한밤중에 피난(?)을 갔다. 다음날 비는 그치고 다시 뜨거운 햇살이 나왔다. 졸졸 종아리를 흐르던 물이 제법 허리춤까지 차버렸다. 빠르게 물살이 흘렀다. 흐르는 물 위로 올라가 그냥 엎드려 물살에 몸을 맡기며 놀았다. 나와 친구들은 물 썰매를 타듯 신나게 타고 내려오고 다시 자갈밭을 올라가서 물에 들어가 물살에 몸을 맡겨 내려오며 놀았다.

그런데 어느 순간 일어서서 다시 올라가려고 하니까 발이 안 닿고 쑥 몸이 빨려 들어갔다. 흐르는 물살에 깊은 곳까지 흘러간 것이다. 순간 어찌나 당황하고 놀랐는지 모른다. 이렇게 그냥 죽는 거구나 덜컥 겁이 났다. 흐르는 강물이 입으로 밀려 들어왔는데 뱉어내지 못해서 꼬르륵했다. 순간 식구들 얼굴이 떠올랐다. 나는 필사적으로 물장구를 치고 발을 저었다. 가라 앉았다가 떠 올라갔다 하면서. 정신만 차리면 산다. 정신 차려! 계속 되뇌였다. 죽을 듯 살 동 발버둥을 치니 몸이 나아가고 발이 강바닥에 닿기 시작했다. 코, 턱, 가슴 아래. 그렇게 천천히 얕은 물가로 나올 수 있었다.

그리고 정신을 차리고 내가 빠져나온 저기 가운데를 보니 다른 친구들 3명 중 2명도 꼬르륵 떠올랐다 가라앉았다가 하는 것이 보였다. 난 주위의 낚시꾼에게 낚싯대를 빌려 그걸 애들에게 던져 끌어냈다. 튜브도 던지고 해서 다른 아이도 물 밖으로 겨우 끄집어냈다. 그렇게 익사 직전에 살아났다.

최진희의 노래 '물보라'를 좋아하던 시절이었는데 물에서 놀다가 하마터면 물귀신이 될 뻔한 이야기다. '물보라'라는 MBC 연속극 드라마가 있었다. 평일에 하던 드라마 시리즈로 기억이 된다. 부상으로 선수를 은퇴하고 작은 시골 학교 축구 코치 선생님으로 온 터프한 남자 (유인촌)와 그에게 다가가 모두가 반대하였지만 가정을 꾸리고 사랑을 이어가는 여인(이혜숙)의 러브스토리다. 물론 그 사랑이 잘 풀릴 리가 없다. 그 드라마의 주제곡이 바로 최진희의 '물보라'다. 축구선수가 되려는 꿈을 가졌던 나에겐 정말 내 이야기 같았다.

그래서 쉽게 드라마의 흥미 진진한 스토리에 금세 빠져들었다. 세상과의 불화. 타협하지 않았고 세상과는 달절하고 자신의 철학에 고집스러운 운동선수의 꿈. 그리고 바깥세상과의 좌절. 그리고 그를 따스하게 보듬어주려던 여인은 두 사람을 둘러싼 주위의 시선과 외롭게 싸우게 된다는 외로운 이야기. 그리고 이 노래를 좋아하던 때 그때 좀 잘 놀던 중학교 친구의 여동생 희(당시 초등학생)를 짝사랑했었다. 물론 그 친구도 금강 휴게소로 물놀이를 같이 갔었고 물에 빠졌었다. 그 친구는 리더 격이었다. 500원 몰아주기 야구게임의 주장이었고 인물도 좀 있었고 말도 잘하고 운동도 잘했다. 난 그냥 주변에서 그를 따르던 아이들 중의 하나였다.

어느 날 그 친구 집에 가서 친구 여동생을 보았다. 아... 첫눈에 반하고 말았다. 그리고 단발머리의 콧날이 오똑했던 그 소녀가 내 마음속에 환상적으로 자리를 잡은 것이었다. 내게도 그런 여동생이 있으면 소원이 없겠다는 생각도 많이 했다. 그런 여동생과 같이 사는 그 친구가 정말 많이 부러웠다. "오빠!"라고 불릴 수 있는. 그 친구는 그런데 야구를 더 좋아해서 나도 야구를 하러 다녔다. 어느 날 그 친구의 여동생이 또래의 친구들과 오빠들의 야구 시합을 보러 온 날이었다. 왼손잡이인 난 타석에 들어서 한껏 똥폼을 잡고 공을 뚫어져라 노려보았다. 하지만 맥없이 헛스윙을 하고 삼진 아웃을 당했다. 어찌나 창피하던지 모르겠다. 쥐구멍이라도 있었으면 좋겠다고 생각했다.

그날은 세상이 암울해져서 터벅터벅 걸어왔다. 그래도 친구가 다시 불러서 친구가 사는 집으로 동네로 가면 그 여동생을 볼 수 있겠다는 생각에 어찌나 설레던지. 안보던 거울도 아마 많이 보았으리라. 물론 호감을 절대 표내지 않았다. 여하튼 물보라는 내 마음 중덩이던 내 마음의 파도를 일으켰던 노래다. 중학교 1학년 때는 전체 5등도 하고 반에서 1

등도 여러 번 했었다. 핑계 같지만 사춘기의 열병이 찾아와 그때부터 수학을 포기하고 공부에 흥미가 완전히 떨어졌다. 어디로 손을 잡고 떠나고 싶은, 그냥 사랑만 있다면 어두운 현실을 피해서 말이다. 리버 피닉스의 청소년 성장영화 요절한 청춘스타 리버 피닉스의 '허공에의 질주'와 '스텐바이 미'가 연상이 된다. 비슷한 사춘기 소년의 이유 없는 짙은 좌절과 허무감을 느낄 수 있는 그러한 시기였다.

내 청춘에게 중딩 시절은 이유 없는 반항과 좌절의 시기였다. 커다란 세상이란 벽에 이유 없이 해답 없이 부딪치곤 했다. 먹고 사느라 바쁜 부모님은 얼굴을 보기도 힘들었고 또 이야기도 할 수 없는 시절이었다. 하얀 물보라를 쉴새 없이 일으켰던 그리고 말없이 사그라졌던 그 내적 아우성의 몸부림. 그 한복판을 통과하는 노래다.

제13화 잠시만 안녕
- M.C the MAX-

　추수감사절 세일 광고가 저 남반부 호주의 텔레비젼과 신문에 요란했다. 농장의 포도 수확을 쉬는 데이 오프 날 시내를 돌아 다녀보니 사람들이 쇼핑을 많이 나와 작은 촌동네 소도시 밀두라 시내가 북적거렸다. 덩달아 마음이 들썩였다. 울워스 마트에 가서 담가먹을 김칫거리를 샀다. 배추와 무, 마늘, 카레, 치킨을 샀다. 차에 놓고 나가려다 제일 싼 캔맥주 한 박스와 달콤한 화이트 와인도 수도꼭지가 달린 커다란 팩으로 샀다. 그리고 한국식료품을 파는 작은 아시아 마트에도 갔다. 멸치 액젓과 신라면 고추장을 샀다. 장만 봐도 난 이미 배가 불른 느낌이었다.

　그리고 숙소인 카라반 하우스로 가야하는 데 쉽게 주차장을 빠져 나가지 못했다. 한참을 망설였다. 사고 싶은 게 하나 있었기 때문이었다. 바로 작은 박스 모양의 mp3 플레이어. 150$이 넘는 게 99 호주 달러로 크게 할인된 금액으로 판매를 하고 있었다. 저걸 사면 인터넷 카페에서 들었던 노래 '잠시만 안녕'을 들을 수 있고 본 조비의 노래도 차에서 또 일을 마치고 집에서 들을 수 있으니 참 좋을텐데... 그 작은 플레이어를 사고 싶은 유혹이 나를 갈등하게 했다. 그러다가

결심했다. "에이 사자! 그거 산다고 죽냐!" 거지 되는 것도 아니고 나를 위해 투자한다는 셈 치지 뭐" 이미 현금은 떨어져서 현금지급기로 가서 호기롭게 돈을 찾았다. 열심히 땀 흘려 모은 통장엔 내 기준으로 꽤 돈이 모여 있었다. 애들레이드로 가는 항공권과 거기서 한국으로 가는 항공권은 좀 기다리자. 다음 주말에 사야지. 아직 가격이 높다.

노래를 다운받아 작고 귀여운 사각형 빨강 MP3 플레이어에 넣었다. 도미노 피자에서 치즈피자를 샀다. 냄새가 향긋했다. 트렁크가 가득하다. 난 차를 몰고 변두리 강가로 나갔다. 작은 밀두라 공항 가는 길 맞은편으로 큰 다리를 지나면 나오는 나만 아는 일종의 비밀 아지트였다. 텅 빈 주차장에 내 차를 여유 있게 주차했다. 피자와 콜라를 들고 나갔다. 맹그로브 나무들이 저 앞으로 우거져 있었다. 강어귀에는 크고 작은 배들이 묶여 있었다.

원주민인가 검은 얼굴의 노인 강태공이 허름한 차림으로 낚시대를 던지고 있었다. 시간이 멈춰선 강가의 숲속. 그물 담장이 처진 테니스장도 보였다. 존과 저기서 종종 밀두라 오픈이라고 테니스를 치고 놀기도 했었다. 호주에 처음 갔을 때. 난 쓰러진 나무 그루터기에 앉았다. 플레이 버튼을 눌렀다. 건조하면서도 아쉬움이 묻어난 목소리가 흘러나왔다. 전주가 나오자마자 내 가슴은 그냥 아려지고 슬픈 기운이 멀리 한국에서 온 농장 노동자의 온몸을 휘감았다.
"행복을 줄 수 없었어, 그런데 사랑을 했어. 니곁에 감히" 사랑할 자격이 있는 사람만이 사랑할 수 있다는 궤변아닌 궤변에 고개를 가로저었다. 하지만 한편으로는 그 말도 일리가 있다는 생각이 들었다. 모든 노래 가사는 자신의 환경과 처지에 이입이 된다. 서울에서의 상경 생활 4년 영화는 잘 안되었고 걷기 모임에 빠져들었지만 생활고가 닥쳤다. 그래서 택한 호주로의 탈출. 외국인 노동자로 살아가며 카드값과 빚을 갚기 위해 일하는 처량한 신세에 나도 모르게 울컥해 턱이 주억거리도 했다.

"방황이 많이 남았어 사는 게 참 힘들었어"
언젠가는 돌아갈게 사랑할 자격 갖춘 나 되어..."

내 양손은 오렌지와 포도농장에서의 고된 일로 만신창이 같았다. 포도송이를 다듬는 날카로운 트리밍 가위로 손을 자주 베였다. 거기에 설탕 같은 진득한 오렌지 물이 들었고 높은 오렌지 나무를 타며 따다가 커다란 오렌지 나무의 가시와 나뭇가지에 찔려 상처가 나고 또 덧나 흉터 자국이 생겼다.

서른일곱 살 내 바보 같은 방화의 끝은 어딘지 사실 나도 몰랐다. 언제 끝날지 끝이 보이지 않고 가늠이 되지 않았다.
돌이켜보니 내 삶은 모든 게 바보 같았다.
대책 없는 삶을 그냥 하루하루 땜질하듯이 살아오고 있었다.
나와보니 내 눈에 그 지난 내 삶의 모습이 선명하게 보였다.

피자를 한 조각 떼어 우걱하고 씹어 먹었다. 식어 버리고 마른 거 같아서 매운 소스를 뿌리고 다시 크게 "우앙"하고 베어 물었다. 이번에는 또 갑자기 너무 매워서 큰 기침을 했다. "아파도 안녕 널 위해 안녕 잠시만 안녕~" 나지막히 노래를 따라 불렀다. 띄엄띄엄 노래를 따라불렀다. "아아~파아도 아 안녕~ 너얼 위해에... 아~안..녕..."

갑자기 눈물이 핑 돌았다. 지는 호주 대륙의 저 태양은 또 어찌나 크고 아름답던지. 콧잔등으로 눈물이 톡 떨어졌다. 누가 볼까 봐 고개를 돌렸다. 무심히 흐르는 강물 하늘을 올려 보았다. 하얀 뭉게구름이 떠 있는 맑은 하늘 그날 하루가 왜 그리 맑고 날씨가 좋았던지 모르겠다. 그렇게 북반구 한국과는 반대로 겨울이 끝나고 여름이 시작되는 10월의 커다란 남반부 호주 대륙의 까만 밤이 깊어갔다. 그리고 이 노래가 일본 노래를 번안한 곡이라는 것은 한국에 돌아와 살며 아주 나중에 알게 되었다. 어쨌든 이국에서 외국인 노동자로 살면서 외롭고 힘들 때 혼자 부르면서 그 상황을 곱씹던 이 노래의 처연함이 잊혀지지 않는다. 내 인생에서 중요한 하나의 노래로 자리를 잡게 된 계기가 되었다.

제14화 사랑 Two

- 윤도현 밴드 -

아무 연고 없이 서울에 올라와서 처음으로 좋아한 노래가 바로 이 윤도현 밴드의 사랑 투. 처음 듣자마자 선율에 빠져든 노래였다. 슬프고 또 막연함과 함께 아쉬운 떠날수 밖에 없는 미련도 느껴지는 이 노래. 전주를 듣자마자 좋아하게 된 노래. 그래서 집으로 돌아가는 어두운 밤 골목길에서 혼자 찾아 듣고 자주 불렀다. 그리고 순간 울컥해지기일 수였다. 언제나 그렇듯 나에게 희망은 멀리 있고 보이지 않았다. 늘 불안한 미래와 내일에 대한 어두움이 더 자주 내 머릿속을 드나들었다. 언제 사랑다운 사랑을 해볼 수 있을까.

여기 노래에서 나오는 '너'는 그런 나를 가만히 바라봐주고 내 이야기를 들어주고 응원해주는 느낌을 받게 위로해주는 노래였다. 그런 가상의 너를 생각했다. 나도 힘들지만 역시 힘들어하는 누군가의 행복과 힘이 되어주는 내가 되기를 바라는 그런 마음이었다.

하지만 나도 혼자 건사하기 힘들기에 더 애달픈 현실이 존재했다. 꿈을 쫓아 아무도 없는 아무도 모르는 타지에 달려왔다. 하지만 확실하지 않고 손에 잡히지 않는 신기루 같은 삶. 나 자신의 앞날도 불투명했고 헤쳐나가는 방법도 몰랐다.

붕어빵 장사로 모은 돈으로 독립영화 워크숍의 수강비를 내고 나니 단돈 몇만 원만 남았었다. 동대문운동장 성동여실고 옆 중앙체육관 5층의 작은 독립영화협의회 강의실로 수업과 조별토의를 나갔다. 일주일에 3번 수업을 했다. 첫 주는 수업이 끝나고 갈 데가 없어 그 낡고 퀘퀘한 작은 사무실 의자를 연결하고 신문지를 덮고 잠을 청했다. 4월 봄이 시작된 것 같은데 왜 그리 모기가 많은지 귓가에 스피커를 달아놓은 듯 윙윙거렸다. 서울의 밤의 모기는 지방에서 올라온 늙수구레한 서른둘 총각의 피를 맛있게 빨아 먹느라 바빴다.

난 그 모기를 잡느라 연신 허공으로 "붕붕!" 손바닥을 갈랐다. 또 너 죽고 나 살자 하는 마음으로 "짝짝!" 하고 뺨과 이마와 발목을 내 손바닥으로 세게 내려쳤다. 고시원에 월세로 가는 것도 부담스럽고 찜질방에 가서 자느니 신당동 떡볶이 골목 초입의 3,500원 하는 인천식당의 할머니 백반을 사먹는 게 배를 채우는 게 더 나았다. 중부소방서 뒤의 할머니가 하는 작은 허름한 식당. 밥을 꾹꾹 눌러 달라고 했다. 반찬도 더 주셨다. 정말 감사하고 고마운 식당이었다. 전국 각지에서 영화를 하겠다고 달려온 청춘들 32살 내가 제일 나이를 먹은 나이였다.

워크숍은 1, 2차 비디오 실습으로 동국대에서 각 팀이 하루 동안 촬영을 하고 편집하고 완성하여 우리 기수 21명의 개별 평가를 받아야 하는 과제를 받았다. VHS 비디오카메라로 아마추어 배우와 군에 입대하는 청년의 이야기를 담았다.

우리 조의 작품의 주제곡을 바로 이 노래 "사랑 Two"로 정했다. 영화를 보다가 즐기고 모임을 만들고 교류를 늘려나갔다. 지방에서 독립 예술영화제를 개최하고 주제를 가지고 매달 정기 상영회를 하면서 영상문화 운동을 했다, 그리고 이제 영화를 만드는 단계로 흘러간 것이다.

물론 지금은 직업인이 되어 영화와 거리를 두고 있다. 하지만 나의 20~30대 초반은 영화와 뗄레야 뗄 수 없는 그런 필수 불가결한 운명 같은 관계 맺음과 인연이 있다. 그리고 어느덧 시간은 흘러서 20년이 훌쩍 흘러버렸다. 그때 운동장을 가로지르며 고함을 지르는 불안한 청춘의 모습 아래로 이 노래를 깔았다. 강인하면서도 단호한 피아노 선율 아래 건조하면서도 애증이 남아있는 목소리. 그러나 모든 걸 내려놓은 듯한 슬프고 강한 체념한 듯 달관한 음색.

그렇다. 이 노래를 들으면 당신과 나 모두가 힘든 상황에 놓여있다는 것을 알 수 있다. 그래도 먼저 손을 뻗고 위로해주는 그런 대범한 삶을 그리워했었다. 그래서 이 노래가 더 울림이 있게 내게 다가오지 않았을까 하는 생각이 들었다. 어떤 상황이라도 들뜨지 않고 냉정하고 차분하게 나를 돌아볼 필요가 있을 때 들으면 좋은 노래다. 쉰이 훌쩍 지났지만 아직도 나보다 더 힘든 오늘을 사는 누군가에게 따스함으로 다가가고 싶다. 불안한 늦깎이의 꿈을 위로해주던 노래 '사랑.투'를 나직이 마음을 담아 다시 불러보곤 한다.

'내'가 만나는 '너'는 바로 나의 또 다른 이름이다. 복잡하고 힘든 세상의 피할 수 없는 일에 의연하고 당당하게 살아가는 또 다른 '나'이고 싶어하는 마음으로. 나도 힘들지만 나보다 더 어렵고 힘든 사람들이 많이 있을 것이기에 그 시절을 그래도 참고 버텨냈다. 그리고 사랑이든 일이든 어둠에 갇힌 이들에게 조금이나마 힘이 되고 위로가 되고 용기를 주는 사람이 되고 싶었다. 그리고 그 동대문을 비롯하여 신당동과 장충동을 떠돌던 시절에 참 위로가 되었던 노래가 바로 윤도현 밴드의 노래 '사랑 Two'였다.

제15화 첫사랑
- 나비효과 -

서울에 상경해 하루하루 버티며 살다가 옥탑방이지만 작은 잠자리 즉 거처를 구하고 나서야 숨을 돌릴 수 있었다. 그리고 조금 여유가 생기니 겨우 이 노래가 마음에 들어왔다. 그것도 타인의 이어폰을 통해서... 이 노래 '첫사랑'은 그룹 나비효과의 데뷔앨범에 나온 노래고 유일한 히트곡으로 알고 있다. 이 노래는 나를 둘러싼 당시의 배경을 알아야 이해가 가능한 노래다. 이 노래를 부른 보컬 김바다는 시나위 5대 보컬 출신이라는 걸 나중에 알았다. 기교가 없는 록 창법의 시원한 가창력이 이유가 있었다.

지금도 이어지는 독립영화협의회의 워크숍은 3차까지의 비디오 작품을 만들고 과제와 합평회를 하는 빡빡한 일정이다. 3개월 후 최종 4차 16mm 필름으로 공동작업하고 보고 발표회를 통하여 작업 과정을 공유하고 모두의 솔직한 평가를 듣고 발전적인 이후의 과정을 모색하게 되는 것이다.
모든 작품은 팀원들의 기획을 내고 그 기획안을 설명하고 관심과 공감이 가는 작품에 투표해 결정하는 방식이다. 그 작품은 시나리오로 나와야 하고 그 작품에 줄을 선 참여자들이 같이 만드는 작품이다. 그 당시 27기 워크숍 스물 한명의

참가자가 낸 기획안 21개가 각각 프리젠테이션을 각각 했다. 기획자가 설명을 한 후 투표를 해서 인기 있는 최종 3 작품을 골라냈다. 내 기획안도 하나로 선택되었다. 3개의 졸업작품 중 하나로 선택이 되었으니 아무것도 아닌 것 같아도 정말 보람이었고 기뻤다. 그것도 16mm 필름카메라로 작업하는 역사적인 첫 영화니까 말이다. 수업을 마치고 돌아가는 용산역 플랫폼에서 두 주먹을 불끈 쥐었다. 이제 시작이다. 나의 영화 인생의 힘찬 출발에 조금 감격한 것도 사실이었다.

그리고 난 내 기획안으로 곧 단편 시나리오를 썼다. 그러나 6명씩 팀을 이룬 팀원들의 의견을 들으며 수정 작업을 했는데 각자의 생각이 너무 달랐고 그 의견을 내가 조율하지를 못해 우물쭈물하다가 난도질을 당했다. 그야말로 엉망이 되었다. 역시 내 집중력의 부재와 얇은 귀가 문제였다. 결정을 지어줄 때는 지어야 하는데 우유부단한 내 성격도 문제였다.

지금은 사라진 필름, 16mm 카메라를 들고 다니며 촬영을 했다. 내가 쓴 것은 말년휴가를 나온 군인이 재수학원에 다니는 여자 친구를 갑자기 찾아가는 이야기였다. 제목은 '주말의 명화'라는 제목의 단편영화. 한강 양화대교, 신설동 대성학원, 그리고 종로3가 서울극장 뒤 여관방에서 실내 촬영을 했다. 그러나 작품은 이도 저도 아닌 '별로'로 나왔다. 양화대교 아래서 재수학원에 다니는 여자 친구와 캔맥주를 먹고 답답한 미래에 대한 이야기를 하고 이어지는 장소는 낡은 선풍기가 돌아가는 여관방. 텔레비전에서는 MBC '주말의 명화'의 시그널 음악이 나오고 잠이든 군인을 두고 옷을 벗은 재수생의 모습이 거울에 비친다. 여하튼 6분이 조금 넘는 이

영화는 기승전결이 불확실하고 주제의식이 불분명해서 졸업 작품 상영회 성격의 보고시사회에서 다른 작품에 주목을 뺏기고 그냥 당연히 잊혀지게 되는 운명을 맞이했다.

이후 난 다른 작품의 스텝의 되어 공사장 막일을 하다가 촬영을 돕고 또 독립영화협의회에 자주 나가 매월 하는 독립영화발표회의 섭외와 상영 후 만든 사람과의 대화 등 진행을 맡게 된다. 당시 동대문 두타에서 연락이 와서 그곳 5층에서 발표회를 몇 달간 진행도 했다. 동대문 두타 빌딩에서 공간에서 상영회도 하고 홍보팀에서 매달 50만 원을 지원받는 계약을 맺었다. 그리하여 작품 출품자에게 상영비도 주게 되어서 좋았다. 그리고 늘 그래왔듯이 제작 일정과 비용이 들어가고 제작 후기가 들어가는 작품집도 제본하여 만들어 나누어주었다. 또 끝나고는 뒷풀이도 했었다.

그 당시 난 돈 없이 어딘가 쏘다니고 걷는 걸 좋아해서 미용실에서 여성잡지에 난 동호회 모임을 알게 된다. 호기심이 생겨 그때 난 다음 까페 "뚜벅이의 길"이란 걷기 모임 카페에 들어갔다. 그냥 그 모임은 한 달에 한 번 만나 걷는 게 일이었다. 매년 여름엔 한강도 밤새 걸었다. 준비물도 필요 없고 뒤풀이 밥값 만 원만 있으면 돼서 참 부담이 없었다.

거기서 알게 된 여인이 있었으니 두그둥! 이 노래는 그녀의 최애곡으로 그녀가 들려줘서 알게 된 노래였다. 그리고 금방 나도 이 노래 "첫사랑"의 매력에 그녀와 빠져들게 되었다. 닉네임이 'hera'라는 그 여인은 무척 명랑한 여자였다. 키가 크고 긴 머리의 육감적이고 쾌활한 직장인 아가씨였다.

나의 보헤미안 기질이 좋아서였을까 아니면 조금 멍하지만 순수한 어떤 나도 모르는 매력(?)이 있었지 않을까. 여하튼 술도 잘 마시는 그녀는 나름 대기업에 다녔고 잘 웃고 명랑 유쾌 발랄한 여자였다. 보기와는 다르게 노조 활동도 했었단 다. 사람은 반대 성격의 사람에게 호기심이 생기기도 하고 자기가 가진 것과 반대의 사람에게도 끌리는 모양이다.

난 당시 그 옥탑방에서도 보증금을 까먹고 도봉산 아래 반 지하 보증금 200에 월 15만 원의 월세방으로 이사 간 뒤였 다. 유일한 사는 재미는 그 뚜벅이 모임에 나가 신나게 걷는 일이었다. 또 같이 밥을 먹고 술 한잔하는 일이 즐거움이었 다. 나는 열심히 활동해 바로 운영자가 되어 주중에도 모임 을 만들어 열심히 모임을 활성화했다. 그녀와 모임에서 만나 걸으며 또 뒤풀이 자리에서 남아 이런저런 이야기를 하면서 생각을 공유해서 더 즐거웠다. 그녀는 얼마 전 헤어진 남친 을 말했고 난 동조했다. 난 영화 이야기를 자주 했고 그녀의 이야기를 잘 들어주었다. hera님을 내가 준비하고 사회를 본 독립영화발표회에도 초대했다. 객석에서 내 이야기에 귀를 기 울이며 눈을 반짝이는 그녀를 나도 좋아하기 시작한 것이다.

내 딴에는 격에 맞지 않은 큰 옷이라는 생각도 들었다. 하 지만 정말이지 노래 가사처럼 술을 먹고 내게 전화한 여자였 기에 좋았고 늦게 또 오랜만에 찾아온 이성에 대한 호감과 혹시 그게 사랑이 아닐까 하는 기분에 설레였던 것이 사실이 다. 그녀도 나에게 호감을 표시하곤 했다. 그러던 어느 날 그 녀를 집에 데려다주는 아현동 골목길이었다. 그때 나의 닉네 임은 참외배꼽이었다. 아이같은 순수함과 친근함을 나타내기 위해 만든 걷기 모임의 닉네임이다.

"참외배꼽님 사랑하는 사람을 위해 목숨을 바칠수 있나
요?"
진지한 얼굴로 예의 내 얼굴을 똑바로 응시하며 물었다.
"목숨을 바친다, 사랑을 위해서요. 그럼요!"
"아저씨, 내 눈 똑바로 보고 말해 주세요"
"그러니까 우리 좀 취한 것 같아요. 우리 hera님"
"배꼽님, 우리 집에 같이 갈래요?"
"저기요. 너무 늦었어요. 집 앞까지 바래다 줄께요"
"저 차이는 겁니까? 괜찮아요. 혼자 갈께요"
"아니 제 말은 그런 뜻이 아니고요"
"그동안 고마웠어요. 아무래도 우리는 길이 다른 것 같아요"

　어두운 아현동 골목길에서 우리는 서로 헤어졌다. 그동안
서로 잘 맞지 않은 옷을 걸친 듯 했으나 과감히 현실을 자각
하였다. 그 어울리지 않은 가면을 벗어던지고 제 갈 길을 갔
다. 그때 그냥 그녀의 집으로 따라갈 걸 그랬나 보다.
"아니 당연하죠! 이 한목숨 그댈 위해 바치겠습니다. 사랑하
는 사랑에게 당신에게!" 라고 말했으면 과연 나와 그녀의 인
연은 어떻게 이어졌을까.

　전자 피아노 전주 소리가 단독으로 우렁차게 나온 이 노
래. 다시 설래임과 그리움의 큰 파도가 가끔 일렁이게 했던
노래가 바로 「첫사랑」이다. 잠깐이지만 분에 넘치게 사랑도
받았고 떨리고 설레는 마음도 느껴져 행복했다. 사랑은 현실
이라는 바탕 위에서 더 견고해지는 것인데 낭만적으로만 생

각했고 또 그렇다 해도 이 사람이구나 할 때 꽉 붙잡는 용기가 역시나 부족했다. 가끔 이렇게 다시 돌아올 수 없는 시절로 노래와 함께 돌아가서 옅은 미소를 짓는다. 끝없이 출렁이는 파도를 기억해내서 그저 닿지 않은 인연에 참 많이도 아파하고 자책하였고 쓸쓸했었다. 그렇지만 어찌하겠는가 그것이 운명이겠거니 생각한다. 돌아보면 힘들어도 또 그 시절이 참 좋은 시절이고 추억이지 않았나 싶은 생각이 들었다. 이제는 고이 묻어두어야 할 아련한 내 청춘의 한 시절 추억으로만 남아버린...

제16화 아침이슬
- 양희은 -

막걸리를 흔들고 돌려 종이컵에 나누어 마시고 꼭 부르는 노래가 있었다. 선배의 선창으로. 대학 도서관 잔디 광장 앞에서 음악당 앞에서 둘러앉아서. 또 커다란 별관 강의실 바닥에서. 책상을 치우고 빙 둘러앉아 숙연하게 불렀던 노래다. 동기 친구들끼리 그리고 선배 몇 명과 불렀을 때와는 달리 과 연합 M.T를 가서는 모두가 목청껏 불렀던 노래였다.

"긴밤 지새우고 풀잎마다 맺힌 진주보다 더 고운 아침이슬처럼 내 맘에 설움이..." 그냥 첫마디부터 왠지 비장한 마음이 들었다. 울분과 함께 숙연한 마음도 일어났다. 1980년 광주 민주화 운동 때 난 초등학교 5학년이었다. 제대로 된 소식을 들을 수 없었다. 정보가 한정되고 약한 아직 꼬마로서 사실 세상 돌아가는 이야기도 모르고 이해할 수 없었다. 그냥 반란처럼 일어나서 많은 사람들 군인이 죽었다고 들었다.

대학에 가서 그날의 사진과 이야기를 대자보를 통해 보고 듣고 서서히 깨우칠 수 있었던... 그리고 88 서울 올림픽 꿈나무 학번으로 몇 번의 시위에 따라 나갔다. 백골단을 피해 골목으로 치약을 묻힌 손수건으로 코와 입을 막으며 교문 밖을 나가고 또 달려들고 도망을 쳤다. 최루탄 냄새에 익숙해질 때 난 군대에 자원했다. 나라가 혼란스럽고 올림픽이 열릴 때 내가 전방에 가서 나라를 위해 봉사하고 희생하는 것도 의미가 있을 것 같았다. 물론 가정 형편상 대학생 등록금도 부담스러웠다. 음대에 다니는 누나가 있었고 곧 제대하고 복학해야 하는 형, 우리 집의 장남이 있었기에. 군에 들어가서 더 이상 아침이슬을 부르지 못했다.

서울에 와서 영등포 옥탑방 보증금을 까먹고 도봉산 지하 월세방에 살 때 2004년이었다. 도봉산에서 동대문으로도 종종 걸어 다니곤 했다. 이삿짐센터 일이나 인력센터의 공사장 일을 안 할 땐 독립영화협의회 사무실이 있는 동대문운동장에서 종종 미아리, 수유리, 창동을 지나 도봉산 아래 도봉동 지하 월세 자취방 집으로 걸어갔다. 물론 술을 먹고 종로에서 이길 저 골목길을 통해 도봉동으로 걸어가기도 했다.

그리고 어느 날 수유리 4.19 국립묘지를 혼자 둘러보았다. 우리나라 민주화 운동을 다시 배우게 되었다. 충격적이었다. 그리고 그해 4.19 의거 기념식에 참석했다. 직장을 안 다니던 때라 가능했던 때였다. 거기에서 가수 양희은 님의 '아침이슬'을 직접 라이브로 우연히 듣게 되었다. 그때의 생생한 전율감이란... 유명한 가수를 실물로 뵌 것도 처음이었다.

2016년 겨울 광화문 촛불집회에 직접 나오셔서 노래해 주셔서 또 벅찬 감동을 선물해주셨다. 이 노래 '아침이슬'은 정말 사람의 마음을 끄는 신비한 힘이 있는 국민노래다. 그 암울했던 군사독재 시대를 관통하며 억압받고 살 때 민주주의를 갈망하는 국민들을 하나로 묶어 주는 의식 있는 노래. 저 깊은 곳에서 끓어 오르는 심장을 뜨겁게 하는 연대와 희망을 갈구하는 노래다. EBS 다큐프로 '싱어즈'에서 나온 것처럼 양희은 님의 노래는 아직도 현재 진행형이다. 양희은 선생님의 노래는 억지스럽지가 않다. '한계령'이란 노래도 좋아하는데 그녀의 노래는 일상의 대화처럼 소곤대듯이 부르지만 정확하다. 소리는 크지 않지만 울림 있는 목소리와 함께 잔잔하고 깊은 여운을 불러 일으킨다. 그래서 여전히 오랫동안 사랑받는 노래를 하고 계신 것 같다.

제17화 준비 없는 이별
- 녹색지대 -

"하루만 오늘 더 하루만~" 캠핑카를 몰고 캠핑을 떠날땐 출발하자마자 500곡이 들어있는 USB 음악이 자동 재생된다. 나도 좋아하고 역시 외국에서 온 아내도 좋아하는 노래가 바로 이 노래 남자 듀오의 개성 있는 목소리의 합이 좋은 녹색지대의 ′준비 없는 이별"이다. 타이틀곡 '사랑을 할거야'도 물론 너무 좋아하는 노래방 애창곡이다. 이 노래의 애절한 감성과 비련미도 느껴져서 너무 좋아하는 노래다. 비교적 쉬운 멜로디의 이 노래가 나오면 함께 따라 부르곤 한다.

이 노래가 인기를 끌 무렵 나는 신탄진의 봉제 공장에서 일을 한참을 하고 있었다. 원단을 방지공장에서 실어오고 우리 재봉공장에서 재단 후 라벨을 달고 각 도매점으로 가거나 2차 가공 봉재공장으로 나르곤 했다. 그때 현대 그레이스 12 인승 승합차를 운전했다. 신탄진 부근에 사시는 미싱사 아주머니들의 출, 퇴근도 내 업무였다.

어느 날 원단을 싣고 즉 일거리를 싣고 공장이 있는 오르막을 오르려고 작은 골목 사거리를 올라가는데 갑자기 오토바이 한 대가 빠른 속도로 튀어나왔다. 그리고 내가 운전하는 차의 측면과 갑자기 튀어나온 오토바이랑 충돌을 했다. "쾅!" 하고 차 정면 유리와 부딪혀 저 멀리 오토바이 나가 떨어졌다. 교통사고가 난 것이다. 난 녹색지대의 테잎을 듣고 있었다. 미끄러진 오토바이에서 기름이 샜다. 그리고 오토바이 안장에서 떨어진 청년이 곧 일어났는데 얼굴이 피투성이가 된 모습이라 깜짝 놀랐다. 어찌할 줄을 몰랐다.

병원에서 그 젊은이는 얼굴은 수십 바늘을 꿰멨다. 헬멧도 안 쓰고 과속한 게 원인이었다. 나도 작은 사거리에서 일단 무조건 일단정지를 안 한 잘못이었다. 보험처리를 하려 보니 우리 공장의 자동차 보험도 막 갱신 마감이 넘었고 보험금을 내지 않았던 상태였다. 납부를 안 하면 사고 보상 비용을 못 받아서 깜짝 놀란 사장님이 급히 납부를 했다. 놀란 가슴을 쓸어내렸다. 보험처리는 하였지만 난 병원에 자주 가서 사과하고 안부를 물었다. 다행히 그 청년도 착한 사람이었다. 자신도 잘못이 있다고 미안하다고 말했다.

이 노래에는 다급한 구급차의 출동하는 소리도 들어있다. 여하튼 사랑하는 연인의 갑작스런 죽음으로 이별을 맞이하는 절절한 아픔이 담긴 노래. 사별의 아픔이 애절해서 그래서 더욱 기억이 난다. 남자 듀엣의 목소리는 절규하듯 울려 퍼지고. 그만하길 그나마 다행이었다. 언제 어디서나 안전이 최고다. 그 막막했던 감정은 실제 연인관계에서 그런 일이 있다면 얼마나 가슴이 아플까 생각하게 된다. 그렇게 녹색지대의 모든 테잎을 사서 외우고 즐겨듣게 되는 계기가 되었다.

제18화 그런 사람 또 없습니다
- 이 승 철 -

군대에 가서 중대 행정사무실에 있던 노래 테잎 중에 이승철의 '마지막 콘서트'가 있었다. 낯선 풍경이었다. 초록 견장의 하사 달고 야간 당직근무를 설 때 그 노래를 종종 들었다. 모두가 잠든 새벽에 행정실의 낡은 카세트 데크에 걸고 작은 볼륨으로 나직하게 불렀었다. "소녀는 나를 알기에 (중간 생략) 밖으로 나가 버리고" 이상하게 끌리는 목소리 남자지만 매력적인 목소리였다. 그리고 정확히 19년이 흐른 뒤 타인을 통해 이 노래를 우연히 알게 되었다.

싸이월드 미니 홈피의 배경음악으로 은은하게 흘러나왔는데 처음엔 누구의 노래인지 몰랐다. 바로 지금 내 반쪽이자 평생을 섬기고 살아야 할 아내가 징검다리가 되어 즉 파도타기를 통해 알게 된 가수 이승철의 노래였다. 가사를 천천히 되새기며 들어보니 어쩜 저리 순애보 적인 헌신적인 사랑이 있을까 싶다. 바라만 보아도 바라지 않아도 좋은 그런 사람을 위해 심장도 떼어주고 싶다는 남자. 사랑은 정말 힘들 때 어려울 때 더 뜨겁게 다가온다. 노래 역시 그렇다. 밝고 환한 노래보다 이렇게 애절하고 애잔한 노래가 더 가슴을 울리는 이유는 무엇일까 생각해 본다. 바로 공감 때문이 아닐까 싶다. 노랫말이 자신의 현실을 반영하니까 습자지처럼 나의 마음속에 또렷하게 스며들어 인식하게 되니까 좋아하게 된 노래다. 역시 힘든 시기에 묵묵히 삶을 헤쳐나갈 때 이런 노래가 가슴에 와닿았다. 누구 말대로 아내는 출구를 몰라 헤맸던 나에겐 비상구였다. 삶을 뒤에서 보살핌으로 말미암아 지금 이렇게 그나마 사람 꼴을 하고 살지 않나 싶다.

바보같이 아니 진짜 바보니까 꽤 큰 목돈을 사기도 당했다. 가진 게 없어 집도 절도 없었다. 옥탑방, 고시원, 잠만 자고 나오는 아파트 생활 그리고 이어서 2년째 찜질방에서 살 때 꿈을 위해 한국에 들어온 아내를 운명처럼 만났다. 아주 큰 집에 산다는 내 농담. 내가 사는 집에 가보고 싶다는 여자를 난 지하철역 지하의 내가 사는 찜질방으로 데려갔었다. 벌써 15년 전의 일이다. 시간이 참 빠르다.

없이 살아도 형편에 맞는 꿈을 키우고 계획적으로 살게 된 건 역시 전부 현명한 아내 덕이다. 이 노래를 들으며 흥얼거리며 힘들어도 위로를 받았고 막연한 희망을 그려보았다. 이 노래도 가끔 거실의 불을 끄고 나서 반짝이며 돌아가는 작은 조명기를 켜서 운치 있게 노래하곤 한다. 아내와 함께 마이크 스피커를 들고 동영상 반주를 틀어놓으면 분위기가 무르익는다. 못하는 노래를 감정을 잡고 한다.

그해 여름 일요일 청량리역 편의점 앞에서 기다렸다. 춘천, 남이섬으로 기차 여행을 가기 위해 만났다. 삼각김밥을 먹고 무궁화호를 타려고 플렛폼을 뛰어가던 생각이 난다.

이어폰을 한쪽씩 나누어 들으며 남이섬을 걸었다. 정말 많이 부족하지만 노래처럼 한 여자의 그런 사람이 되고 싶다. 내 심장쯤이야 기꺼이 바칠 수 있는. 지금은 사랑하는 아내와 함께 살고 있으니 대상은 정해진 것 같기도 하다.

　만남과 결혼이라는 인생의 중대사. 그것도 외국인과의 결혼 요즘 말로 다문화가족을 이루었는데 그 연결고리에 하나의 노래가 이 노래다. 비록 다투기도 하고 화가 나고 섭섭할 때도 있지만 오직 그 사람을 위해 살고 있고 그 사람을 바라본다. 지금 이 노래는 운명처럼 나에게 다가온 노래라는 생각이 든다. 그렇게 사람은 만들어지고 다듬어지는 것이 아닐까.

제19화 산골 소년의 사랑 이야기
- 예민 -

    1990년대 술을 마시면 항상 2차나 3차는 노래방에 갔었다. 언제는 자정이 넘으면 술집, 노래방의 문을 닫아야했다. 심야 영업 금지조치. 셔터를 내리고 먹기도 했고 또 반대로 전화를 하고 내려진 셔터를 올리면 들어가서 노래를 하기도 했다. 난 대전 삼성동 사거리의 2층에 있는 '타타타 노래방'을 단골로 했다. 누나를 통해 알게 된 아지트였다. 친구들 선배 후배들을 데리고 가서 내려진 셔터 문을 두들겼다. 그러면 사장님이 셔터를 올려 열어주고 우리가 들어가면 셔터를 내려주었다. 그러면 허리를 숙여 들어가서 신나게 탬버린을 흔들고 춤추며 노래했다. 돈이 있으면 맥주도 시키기도 했다.

    이 노래는 한참 신나는 노래로 탬버린을 치며 흥이 올랐을 때 힘이 들어서 쉬어갈 시간에 불러주었다. 가사처럼 순박한 시골 소년의 짝사랑이 묻어나는 예쁜 노래였다. 나름 이 노래를 부르면 착한 소년이 되는 것 같은 착각이 들었다. 노래도 쉽고 내 목소리와 잘 어울려서 즐겨 부른 노래였다. 그리고 이 노래는 소설가 황순원의 '소나기'라는 단편소설이 딱 맞는 노래라고 생각한다. 윤초시네 깍쟁이 손녀딸이 까까머리 소년에게 말한다. "치이, 바아~보!" 개울, 징검다리 그리고 소나기가 후두두둑 떨어지는 원두막이 그려진다. 난 개울 징검다리 앞에서 어느새 전학 온 긴 머리를 땋은 여학생을 기다리고 있는 소년이 되어버리고 말았다.

예민의 노래는 공기정화기를 달고 나온 산골의 푸른 공기 같은 청량하고 맑은 노래다. "아에이오우"도 그렇다. 아이의 맑은 코러스로 그 서정은 더 풍부해지는 노래 이 노래 역시나 물에불린바나나의 최애곡 중의 하나다. 이제 나도 속세의 때를 타서 주름이 많고 흰머리가 나온 아저씨가 되었지만 때묻지 않은 소년의 시절로 돌아가게 한다. 또 그 시절 풋풋한 짝사랑을 꿈꾸게 하는 맑은 시골의 개울물이 흘러가는 듯한 착한 노래다. 그래서 참 힐링이 되는 맑은 노래로 좋아한다.

제20화 해바라기

- 박 상 민 -

1.지하 월세방

도봉산역에서 걸어서 15분 도봉동 지하 보증금 200에 월 15만원 월셋집은 단독주택과 한의원이 있는 집이었다. 영등포 해군회관 뒤 보증금 500에 15만 원의 옥탑방에서 보증금만 까먹고 변두리로 쫓겨난 셈이다. 나이 서른에 아무 연고도 없는 서울 상경. 일용직 노동자로 살아서 가난했지만 그래도 돌아보니 그때가 정말 자유롭고 진짜 재미있었던 시절이 아니었을까 싶다. 독립 단편영화의 스텝으로 무보수로 일하며 언젠가는 나도 내 영화를 만들어 상도 받고 뜨겠지하는 기대도 하면서 하루하루를 살아갔다. 어찌보면 대책없는...

거기 화장실은 주인집 계단의 경사로에 있는 빈 공간을 이용해서 만든 곳이라 특이했다. 영화 '기생충'의 그 가난한 가족의 화장실처럼. 변기에 앉으면 경사가 져서 몸을 웅크리고 허리를 숙여야 했다.

2. 서울우유

아, 언젠가 돈이 생겨서 근처 시장에서 계란과 두부 등을 사서 오는 길이었다. 돼지고기와 막걸리도 같이 사오는 길이었다. 신김치에 맛있는 두부김치를 해먹을 생각에 마음이 설렜다. 집에 와서 후라이팬에 고기 굽고 김치도 볶고 그런데 뭔가가 영 개운치 않았다. 뭐지 하고 찬찬히 생각해보니 그렇다. 우유를 사서 검은 봉다리에 넣지 않고 그냥 온거다. 그때의 낭패감이란... 그 맛있고 영양 좋은 서울우유를 먹고 싶어서 거의 한 달을 침만 꿀꺽 삼켰는데 너무 아까웠다. 두고 온 하얀 그 서울우유.

그 집은 특징이 있었다. 지하에 방 두 개를 각각 세 놓았는데 다른 한 방도 나보다 나이가 좀 더 든 남자가 살고 있었다. 나처럼 조용한 사람이었다. 우리는 가끔 스쳐지나 갔지만 인사를 하거나 말을 섞지는 않았다. 왜 그랬는지는 모르겠다. 마주칠 시간도 없었다. 생활 스타일이 다르니까 얼굴도 잘 모르고 그렇게 없이 사는 이웃이었다. 간혹 여자분들이 오고 가고 자고 가긴 했지만 조용히 지냈다. 여하튼 없는 노총각 프리랜서 아니 백수의 잃어버린 우유가 입맛을 다셨다.

3. 이웃집 남자

그리고 그 집은 뒤를 통해서 들어가는데 마당이 제법 크게 있었다. 주인은 건물 1층의 오래된 한의원 원장이셨고 아들은 내 또래의 남자인데 결혼을 해서 부인도 같이 살고 갓난아이도 있었다. 일을 다니지는 않은 것 같았다. 우린 친해질 수도 없었고 그럴 필요도 느끼지 않았다. 존재하고 있었지만 서로의 모습과 의미를 자연스럽게 감추게 되는 관계. 이상하고 기묘한 이웃 아닌 이웃. 그 대신 나는, 우린 자유로웠다. 서로에게 관심을 가지지 않으니 그거 하나는 자유로웠다. 무슨 일을 하는지 무슨 꿈을 가지고 있는지 모른다. 오로

지 개인의 취향이고 개인의 자유로운 삶의 방식이었다.

4.龍Beer천가

집 앞의 길을 따라 도봉산 등산로 쪽으로 조금 올라가면 나오는 지하의 작은 술집 이름이다. 맥주도 팔지만 내가 좋아하는 소주도 팔았다. 맥주는 금방 배가 불렀다. 소변도 자주 마렵고. 하여간 그 지하 작은 술집 용비어천가. 거기는 돈이 생기면 갔다. 이삿짐센터에 나가 일을 하면 먼저 월세와 핸드폰값을 먼저 제하고 나머지로 생활을 했다.

그곳에 가면 안주는 똑같은 걸 시켰다. 이름은 기억이 안 난다. 치킨 조각, 감자튀김에 과일 조금 그리고 마른 안주도 큰 하얀 플라스틱 접시에 종합선물처럼 푸짐하게 나왔다. 안주가 싸서 부담이 없었다. 그래서 기분도 좋고 맛있었다. 젊은 분들이 장사를 했는데 기본 뻥튀기는 맘껏 먹었다.

거기에선 인터넷으로 음악을 들려주었는데 그 중의 즐겨들었던 하나가 바로 이 콧수염과 검은 선글라스를 항상 하는 가수 박상민의 "해바라기"였다. 하모니카의 구슬픈 전주로 시작되는 짙은 쏘울이 담긴 노래다. 남자는 미안해한다. 여자에게 잘 해주지 못해서. 그냥 그게 모든 남자의 마음을 대변하는 거 같았다. 역시 나로 말할 거 같으면 누구와 뜨거운 사랑을 할 처지도 아닌 가진 것 없는 소시민.

어딜 가나 민폐가 되지 않았나 하는 소심함에 자유롭지만 의기소침하고 불안한 미래에 늘 미안해했다. 세상과의 불화는 아니었지만 한량처럼 살았기에 말이다. 빛이 없는 그 어둡고 습한 지하 단칸 월셋방에서 그래도 자유로웠고 행복해했었다.

막연하지만 꿈이 있었고 자유로운 내 시간이 허락되어 있었기에 그래도 그런 마음을 가지지 않았나 싶다. 그 시절의 가난한 자유가 그리워진다. 그 시절의 소박한 행복이 또 아련하게 떠오른다.

Chapter.3

그 사람과 그 순간이 떠오르다

제21화 미스테리 우먼

- 강지훈 -

  정말 요즘에는 노래방에 가본 지 꽤 오래되었다. 열심히 노래방에 갔던 때가 20대 중반이었던 5년 하고도 몇 년 전이다. 대학 복학생이 되어서 친구들과 술을 먹은 후 2차로 많이 갔었다. 역시 캠퍼스 잔디나 후미진 곳에서 1차로 4홉짜리 OB 병맥주나 HITE 병맥주를 새우깡 과자와 즐겨 먹었다. 막걸리도 좋았다. 마른오징어는 최고의 안주였다. 돈이 있으면 2차를 갔다. 2차는 학교 근처 민속주점인데 자글자글 찌게에 소주 아니면 중국집에서 식사 겸 반주를 했다. 2차 후엔 거의 금영이나 태진기계가 있는 노래방에 갔다.

  나름 복학생이라고 신비(?)롭게 또 짠밥을 나타내기 위해 초록색으로 길이 든 군복 야상을 걸쳐 입고는 돌아다녔다. 물론 내피는 제외하고. 근데 거기 캠퍼스에서 깔깔이를 입는 대담하고 패션 워리어도 종종 보였다. 어쨌든 노래방에서 지금 미스 트로트에 나가도 우승할 실력을 가진 친구는 살살 웃는 눈매가 예쁜 후배였다. 그런데 나는 말을 잘 놓지 못하는 스타일이라 편하게 말도 못 걸고 지냈다. 지금도 마찬가지다. 여하튼 노래방에서 노래하면 여학생들의 시선을 받고 또 신경을 쓰기도 한다. 난 두 가지 필살기(?) 노래를 가지고 있었다. 나름 미성이면 미성이었는데 수줍게 마이크를 들고 나가서 앳된 모습으로 이 노래를 부르면 다들 신나했다. 분위기를 띄워주니 흥에 겨워 탬버린을 치고 난리도 아니었다. 그런 노래를 하나둘은 가지고 있으면 좋다.

"가지 말라 한번 사정할 것을 가는 너를 잡고 매달릴 것을 내가 왜 돌아서고 말~았던가요 아무리 뉘우친들 지나버린 일인데 이렇게 괴로울 줄 뜻밖의 그 이별에 나도 몰래 눈물이 났네"

조용필의 "뜻밖의 이별" 이란 노래로 부르기도 쉽고 가사도 쉬워서 내가 즐겨 부르는 좋아하는 노래다. 군대에서 누가 불러서 찾아보고 나도 배운 노래다. 분위기 띄울 때 경쾌한 리듬에 쉽게 박수를 치며 흥겨운 분위기를 돋을 수 있는 노래다. 또 다른 필살기 노래 하나는 누구도 따라 할 수 없는 느낌이 있어야 가능한 노래 바로 이 "미스테리 우먼"이라는 노래다. 예비역 아저씨가 이 노래를 부르고 둠짓 둠짓 춤까지 근사하게 추니 아닌 말로 신입생들이나 다소 문학소녀들은 다 내 숨겨둔 노래는 물론 춤 실력에 자지러지고 추풍낙엽(!)처럼 쓰러졌다. 믿거나 말거나~ 하하하.

이 노래는 경쾌한 리듬에 고음이 힘든 노래지만 이상하게 어렵지 않았다. 고음은 두성과 가성을 섞어서 부르는 노래인데 목젖을 개방하여 쉰 소리와 섞어 그냥 저 멀리 높이 안드로메다로 날려버리는 거다. 역시나 이 노래를 좋아하는 이유는 가사가 마음에 와닿고 남과는 다른 개성이 있었기 때문이다. 그때도 그랬다. 그래서 자주 부르다 보니 나의 노래가 되어버렸다. 당시에는 좀 세련된 반주와 리듬이 인상 깊었다. 그리고 노래를 부르는 강지훈이라는 가수가 정말 나에게 멋지게 다가왔다. 역시 기존의 관습이랄까 통념 등을 깨부수는 듯한 느낌의 가사와 리듬이 남자 가수의 매력과 함께 나의 마음을 어필하게 해서 즐겨 부르게 되었다. 조용히 있다가 내가 이 노래로 마이크를 잡고 큰 동작으로 노래를 부르면 다들 뜻밖의 모습에 놀라곤 했었다

"친구들 내게 모두 이상하다고~" 이 대목이 또 특이하게 신났다. 워낙 특이한 행동을 했으니. 노래할 때는 또 손으로 앉아있는 친구들을 가리키며. 둠짓둠짓 신비로운 듯 바운스! 여하튼 남이 잘 모르고 안 하는 노래를 하면서 스트레스도 풀고 재밌게 놀았던 기억이 아직 남아있다. '미스테리 우먼' 이 아니라 '워먼'이라고 버터를 발라 느끼하고 미끄러지는 소리를 해야 포인트가 산다.

P.S 아까 추풍낙엽은 그냥 농담입니다. 신나고 즐겁게 전 불렀지만 같이 간 사람들은 자신들은 모르는 이상한 노래 를 부르는 신나고 경쾌한데다 "춤 잘 추고 노래도 꽤나 잘 부르는데!"라는 생각을 하지 않았을까 하는 생각도 했답니다.

제22화 사랑일뿐야
-김 민 우-

　30여 년 전 노래지만 그냥 가끔 흥얼거리면 코끝이 시리고 가슴이 찡해지는 가요다. 사랑이 뭔지 지금도 모르지만 그때 팔팔했던 시기. 부푼 가슴을 진정시키거나 앞뒤를 재보지도 못했다. 사랑 그건 그때나 지금도 어렵고 아직도 잘 모르겠다 정말 사랑은 늘 그렇듯 참 힘들다. 정의하기도 그렇고. 하지만 변하지 않는 가치는 사랑은 정말 위대하다는 것.

"그대를 만나기 위해 많은 이~별을 했는지 몰라
　　　그대는 나의 온몸으로 부딪혀 느끼는 사랑일뿐야"

　당시에 딱히 연애를 하거나 사랑하는 사람도 없었다. 그래도 막연하게 뜨겁고 애절한 나만의 방식으로 사랑을 누구나 꿈꿨으리라. 그래서 사랑이란 단어만 나와도 마냥 가슴이 부풀어 올랐다. 그냥 설렘 아니 두근거림을 사랑이라고 잘못 알았다. 사랑은 파도가 치고 폭풍우가 내려도 흔들리지 않는 굳센 믿음이라고 언뜻 정의하지만 아직도 모르겠고 어렵다.

　남들은 어떻게든 늦게 군대에 가려고 할 때 자원입대 신청서를 병무청에 가서 제출했다. 누구나 어떻게든 늦게 가거나 빠지려고 할 때 나는 병무청에 제발로 걸어가 신청서를 받아서 작성하고 도장을 찍고 접수했다. 그리고 신체검사를 받아 현역병으로 입대했다. 1988년 6월 10일. 서울 올림픽이 열리던 해라 군사독재의 시기였지만 그래도 훈훈하고 사회가 들떠 있던 시기였다. 그때 입대하고 춘천 102 보충대로 가기위해 연무대에서 용산으로 가는 야간 군용열차가 떠오른다.

김민우의 '입영 열차 안에서'도 정말 즐겨듣고 부르던 노래였고 이 노래 '사랑일뿐야'도 그 연장 선상에서 듣고 부르는 애창곡이 되었다. 순수한 모습에 왠지 때 묻지 않은 소년의 감성이 있어 같은 남자지만 참 좋아하는 가수였다. 그러니 두 노래는 어찌 보면 다른 리듬과 가사지만 하나의 감정선을 따라가고 있기도 하다. 이별이라는 감정과 만남을 위한긴 기다림, 그리고 그 끝에 선 남자의 무력감과 비원.

추억의 스타들이 나오는 '불타는 청춘'이라는 프로그램을 잘 보는 나는 김민우의 등장에 반가워하고 그의 이른 아내와의 갑작스런 사별 소식을 듣고 나도 눈가에 이슬이 맺히기도 했었다. 그 사랑하는 아내와의 황망한 이별의 아픔이 얼마나 아플까. 엄마를 보내고 홀로 남은 딸아이의 이야기를 듣고는 코끝이 찡해진 것이다. 그래도 그의 담담하고 사회생활에 열심인 모습이 보기 좋았다. 그 당시에도 수수한 모습이 좋았는데 그의 또 다른 좋은 노래 "휴식 같은 친구"처럼 함께나이를 먹어도 더 진솔한 모습으로 남아있으리라. 앞으로 좋아하는 김민우 가수의 더 좋은 소식을 들었으면 한다.

제23화 하늘색 꿈

- 박 지 윤 -

1. Intro

삶의 무게 앞에 당당한 사람들의 이야기! 모처럼 차 안에서 들은 양희은 서경석은 여성시대에서 재밌는 사연을 들었다. 덜렁거리는 초등생 저학년 딸의 이야기라는데 너무 귀여웠다. 노는 게 좋아 학교가 파하고 오면서 아이는 엄마에게 바로 놀러 간다고 전화를 했단다. 가방은 놓고 나가라는 엄마의 말에 엘리베이터에 가보니 문이 열리자마자 덩그러니 놓인 가방을 보고 엄마는 참 유별난 아이라고 생각했단다.

어느 등교하는 날은 ″엄마, 묻지도 말고 300원만 주세요!″ 그리고 돈을 주니 가방도 잊어버리고 돈만 받아 줄행랑을 쳐서 따라 잡았느라 힘들었다는 일도 귀여웠다. 대학병원 치과에 갔더니 의사 선생님들을 보고 ″의사 언니, 어떻게 하면 의사 까운을 입을 수 있어요?″ 하고 수줍게 물었단다.

″공부를 잘해야 한단다″라는 대답을 듣더니 그날 키즈카페에 가는 약속을 취소하고 책상에 앉아 공부를 하더랍니다. 그리고는 이렇게 말했다네요.

″엄마, 난 커서 아침엔 의사, 점심엔 발레리나, 저녁에 아나운서가 될 거야″ 참 발랄하고 당돌하죠.

2. 本論

　그리고 사연 낭독 후 배경음악으로 박지윤의 <하늘색 꿈>이 라는 노래가 나왔다. "세상사에 시달려가며 - 중략 - 난 어른이 되어도 하늘빛 고운 눈망울 어린 꿈이 생각나네~"

　가수 박지윤! 아직도 널리 전설이 되어 회자 되는 박진영의 곡 <성인식>의 그녀. 성인식은 쎅시한 춤으로 넋 빠지고 턱 빠지게 아니 입이 다물어지지 않을 정도로 흥분되어 보았던 기억이 있었다. 하지만 난 박지윤의 노래 중 <하늘색 꿈>이 난 더 마음에 든다.

　"뭐지 저 여인은?" 오똑한 콧날 고양이 눈 같은 매혹적인 눈매의 치솟음. 그리고 여리 여리한 몸매는 차치하고 나서도 그녀의 목소리는 정말 매혹적이었다. 하모니카 불 때 옆으로 새는 음 같은 느낌인데 묘하게 간지럽게 날 자극하는 그 무엇이 있는 내가 좋아하는 스타일이었다. 첫 몇 소절은 그냥 느리게 고백하듯 흘러나오고 이어서 경쾌한 신디사이저의 변주와 함께 통통 튀는 느낌의 리듬. 그리고 가사가 주는 희망과 도전의 느낌도 좋았다. 중간에 경쾌한 랩도 나오고 당시엔 신선하고 멋있었던 노래였다.

　　"세상사에 시달려가도 (중략) 나 어른이 되어도~~"

　그렇다. 늦게 돌아다니고 마음대로 뭐든 하는 어른이 되고 싶었지만 막연한 불안감이 엄습하는 느낌을 잘 표현한 노래였다. 노래가 주는 맛 중의 가장 큰 하나는 위로가 아닐까. 그리고 시대와 문화를 읽어내는 힘 동일시하는 능력. 답답한 관습에서 나가고 억눌린 답답함에 탈출하고 싶었지만 그냥 또 불안해서 머뭇거렸던 그 시절의 내가 노래에 투영되었다.

3. Epilogue

그래서 서구의 미소녀이자 켓녀 같은 모습에 보이스 역시 좀 색다른 그녀의 노래는 은근하게 땡기는 맛이 있었다. 그래서 함께 크게 따라 부르기보다는 나직하게 흥얼거리게 만드는 노래가 바로 이 "하늘색 꿈"이란 노래다. 그리고 나의 꿈을 막연하지만 미소 지을 수 있던 그 시절의 꿈에 대해 생각해본다. 한 번도 다가 보지 못한 나이 서른을 앞둔 미소년의 꿈. 이제 꿈을 꾸기엔 너무 나이가 든 것 같아 뒷걸음칠 나이가 되었다. 꿈을 포기하자니 한 번뿐인 삶이 아쉽게 느껴지기에 자책하곤 한다. 다시 파란 하늘 위를 나는 하늘색 꿈을 그려보며...

제24화 고래사냥
- 송창식 -

"한 번쯤 말을 걸겠지 언제쯤일까 언제쯤일까 으아~
떨리는 목소리로 나를 불러보겠지 시간은 다와가는데~~"

중학생 때 전파사 밖에 세워둔 스피커에서 나오는 노래를 듣고 우연히 가수 송창식의 팬이 되었다. 우리 작은 아버지와 모습이 비슷하기도 해서 친근했다. 가수 같지 않은 연예인 같지 않은 동네 아저씨 같은 외모. 그냥 자연스러운데 멋있게 보였고 빙긋 웃으며 노래를 부르는 모습이 근사했다. 노래를 잘하는 것은 물론이었다. 직접 노래 가사를 쓰고 만드는 멋진 싱어송라이터 이신데 득음을 하신 듯하다.

"나는 피리 부는 사나이 멋진 피리 하나 불고서~"도 멋졌다. 사랑 노래만 부르지 않은 그가 멋졌다. 그 당시 나에게 사랑은 아직 모르는 감정이었다. 그가 세씨봉 출신이라는 것도 나중에 나이가 들어서 알았다.

지금 친일파로 분류돼 친일사전에 등재된 서정주 시인의 시에 만든 '푸르른 날에"에도 혼자서 참 즐겨 불렀었다.
"눈이 부시게 푸르른 날에 그리운 사람을 그리워하자

내가 죽고서 네가 산다면 내가 죽고서 네가 산다면 "

여하튼 EBS 다큐 <싱어스>란 프로그램에서 그를 다시 만나서 반가웠다. 아직도 기타를 열심히 치며 연주하며 노래의 기본을 강조하는 그는 역시 진정한 가수, 장인이였다.

"가나다라마바사 자차카타파하 우혜우혜우허허"
"우리 동네 담배 가게 아가씨가 아주아주 예쁘다네"

시대의 좌절과 젊음의 번민과 아픔을 노래한 '고래사냥' 또한 영원불멸의 우리들의 애창곡이다. 대학에 들어가 M.T를 가서 빙 둘러앉아 같이 손뼉을 치며 불렀다. 군대에 가서도 고래고래 고함을 지르며 목청껏 불러댔다. 어떤 응어리가 진 마음이 저 푸른 동해 바다에 정말이지 시원하게 씻겨 내리는 해방된 느낌을 주며 찬 에너지가 가득하다. 우리는 태어난 시대를 고를 수 없고 또 시대에 역행해서 살 수도 없다. 순응도 해야하지만 시대에 떨어진 사상과 낡은 관습은 떼버리고 싶은 욕망이 있지 않나. 그것이 보편적인 피 끓는 젊은이들의 생각이자 의식일 것이다. 송창식의 고래사냥은 무언가 솟구치는 젊음의 열정을 으쌰으쌰하게 만드는 에너지바같은 노래로 영원히 불릴 것 같다.

제25화 페스티발
- 엄 정 화 -

　토요일 낮부터 종일 비가 왔다. 오전에 내시경을 하고 와서 낮잠을 자고 일어나니 비가 내렸다. 일기예보가 딱 맞았다. 가을비가 오고 나니 날이 더 으슬으슬해졌다. 이맘때면 평소에는 안 보이던 붕어빵 노점이 하나둘씩 거리에 보이기 시작한다. 사람들도 희미한 버스 정거장 부근 포장마차 아래서 따끈따끈한 붕어빵을 기다린다. 요즘은 크림빵도 있고 종류도 참 다양하다. 물론 가격도 많이 올라서 보통은 3개 2천 원이 기본인 것 같다. 한 개에 천 원짜리도 많이 있는 거 같고 나 때는 25년 전에는 보통 5개에 1000원이었다.

　이 겨울의 붕어빵과 나는 뗄레야 뗄 수 없는 밀접한 인연을 가지고 있다. 영화를 한다고 했는데 만드는 것은 아니고 감상과 이야기를 하는 시네마테크 사무실을 했다. 영화를 사랑하는 사람들이 보고 싶은 예술영화 독립영화를 상영하는 비디오 도서관이라고 할 수 있었다. 운영상의 어려움으로 이곳 저곳을 옮겨다니고 오래 끌고 가지는 못했다.

　선화동 교보생명 옆 건물의 지하에 아는 형님의 도움으로 월세 없이 지내다가 반년 만에 이사를 가야만 했다. 도청 앞

중부 경찰서 대흥동 안쪽으로 한 낡은 건물의 5층은 보증금 50만 원에 관리비 포함 월세 23만 원을 냈다. 건물 옥상에 덩그러니 있는 작은 사무실 그러니까 옥탑방 사무실이었다. 여기도 1년정도 꾸려나갔었나보다. 거기를 나와 영화세상 회원의 '토마토 공격대'라는 컬트 영화의 제목을 딴 카페에 이사를 갔다. 영업을 하는 곳이라 불편해서 이곳도 나와 둔산의 정부 3청사 맞은편 선사유적지 공원 담벽이 가깝고 2개의 상영장이 있는 선사 시네마라는 곳에도 사장님과 이야기를 해서 들어갔다. 엘리베이터 아래층 지하 2평 정도의 작은 공간이었다. 각종 잡지와 비디오 테잎, 비디오 장을 정말 힘들게 들고 이사를 다녀야 했다. 그래도 매달 회지를 냈다.

 그리고 그 이후 옮겨 간 곳이 바로 극단 예사랑이라는 작은 지역의 극단이었다. 주연으로 한 작품 <그녀의 초상>이란 작품이었다. 그리고 다른 연극 작품의 스텝이 되었고 연기에도 꽤 소질이 있다고 이야기도 들었다. 그리고 다음 작품으로 지역의 큰 극단과 연합으로 '미친 세상에게 사랑한다고 말해'라는 뮤지컬 공연을 준비했다. 몸을 만드는 재즈댄스부터 발성을 키우는 호흡법, 그리고 합창까지 음악 스텝까지 20여 명이 넘은 큰 인원이었다. 배우들과 같이 지하에서 밥을 해 먹고 연습을 했다. 재즈댄스 선생님으로부터 춤을 배웠는데 우선 몸을 만들어야 했다. 뻣뻣한 몸으로 다리를 찢으려니까 정말 힘들었다. 다시 단증을 딸려고 몸을 만드는데 군입대 신병의 시절로 돌아간 느낌이 들었다. 그렇게 3~4개월을 연습을 늦게까지 했다. 난 중간에 뮤직비디오 영상을 또 찍어서 빔 프로젝터로 보여주는 영상도 준비해야 해서 더 바빴다. 그리고 공연을 했는데... 나름대로 사람들의 반응은 좋았다. 음악도 지역 음악가 만든 창작곡이었고 나름 격렬하게 춤도 추었다. 하지만 지금이나 그때나 연극으로 수입이 없기는 마찬가지였다. 표를 팔아서 자기 수입을 하라는데 그게 어디 가당키나 한가. 그저 지인들에게 초대권을 나누어 주고 밥을 한 끼 얻어먹는 정도였다. 6주 정도의 지하 소극장 뮤지컬 공연이 끝났다.

내가 연극배우인가 아니면 영화를 하려는 사람인가 그런 본 캐릭터의 혼란이 올 때쯤 생활고가 찾아왔다. 연세가 드신 할머니는 치매가 심해지시고 일을 안 하시는 부모님을 모시고 같이 사는 내가 뭐라도 해야 할 형편이었다. 그때 우리 시네마테크 컬트 회원 중의 형님 한 분이 전문대 앞에서 학생 주점과 식당을 하고 계셨는데 가게 이름이 3학년 4반인가 그랬다. 그 형님이 떡볶이 장사를 하면 어떻겠냐고 하셨다. 그 형님은 내 소개로 영화를 만들고 독립영화 협회를 만들었다. 안타깝게도 얼마 전 그 형님이 안타깝게도 몇 해 전에 돌아가셨다는 이야길 들었다.

여하튼 그래 뭐라도 해보자 하고 나도 결단을 내렸다. 오래 망설였다. 지하 극단 앞 이면도로에는 패밀리 마트 편의점이 있었다. 거기서 하면 자리를 차지한다고 뭐라고 하지도 않겠지. 그런데 시작할 돈이 없었다. 그때 같은 극단에 있던 동생이 나에게 돈을 백만 원을 꾸어주었다. 지금은 그 친구도 정리하고 서울에 올라와 대학로에서 연극을 하고 있다. 그 친구는 그때 연극을 하면서 유성의 룸 싸롱에서 웨이터를 하고 있어서 그래도 형편이 좀 나은 친구였다.

그래서 그가 빌려준 돈 100만 원을 가지고 작은 노점상용 포장마차를 하나 구입했다. 그런데 포장마차는 트럭으로 배달을 받았지만 장사를 할 재료비를 살 돈이 없었다. 그래서 다시 돈을 좀 더 꾸었다. 재료는 거기서 포장마차 제작 공장에서 주문을 하면 가져다 준다고 했다. 포장마차에는 붕어빵틀이 있었고 어묵을 끓이는 통과 떡볶이 판이 있었다. 닭 염통 꼬치도 인기가 있다고 해서 같이 재료 주문을 했다.

처음에는 동갑인 같은 극단 여배우와 같이 시작을 했다. 한 달이 지나니 밤에까지 해야 하고 수입을 나누어야 해서 불편했다. 온전히 책임을 져야 하기때문에 그 친구에게 말을 하고 나중에 내가 혼자 하게 되었다. 그때 알았다. 붕어빵 믹스라고 붕어빵용 반죽용 밀가루가 나와 있다는 것을. 팥도 삶아진 것, 가공된 제품이 포장되어 판매되었다.

모든 것이 서툴고 어리숙한 날 드디어 내가 붕어빵 장사를 극단 앞 골목 모퉁이에서 시작한 날이었다. 내가 속한 지하 극단 사무실 겸 연습실 옆에서 끌고 나와 주전자에 물과 잘 섞은 붕어빵 믹스를 넣었다. 무와 대파를 잘라 넣고 어묵용 국물도 끓였다.

대나무에 주름을 지게 꽈서 꽂은 사각 부산 어묵도 냉동인 염통 꼬치도 넉넉히 주문했다. 물론 나중에는 꼬치 어묵은 내가 직접 만들었다. 주요 메뉴인 떡볶이도 만들었다. 고추장을 풀고 설탕을 넣고 어묵 국물도 넣었다. 그럴듯한 맛이 나왔다. 문제는 붕어빵이었다. 참 나는 지금도 그렇지만 그때도 바보였다. 붕어빵틀이 달궈지면
그냥 주전자를 반죽을 부어 넣으면 되는데. 붕어빵이 늘어

붙어서 검게 탈까 봐 미리 겁을 먹은 거다. 그래서 식용유를 가져와 붕어빵 틀에 부었다. 그리고 달궈진 붕어빵 틀에 반죽을 넣으니 지글 지질 튀겨지고 있었다. 금방 틀이 달궈지고 넘치게 또 모자르게 반죽을 부었다. 빵틀을 회전시키며 돌리고 돌리고 그런데 타는 냄새가 심했다. 이건 붕어빵이 아니라 붕어 튀김이 되었다. 타버린 지느러미 초보 붕어빵. 몇 번 다른 붕어빵 노점을 둘러보는 견학을 하고 머릿속으로 외웠지만 처음엔 실패를 거듭했다.

가방을 맨 꼬맹이들이 초보 장사꾼을 보고 히히덕 거리며 날 보고 웃었다. 초짜의 엉성한 붕어빵이 우스꽝스러웠으리라. 왕초보 장사꾼 아저씨의 실수 연발 당황하는 모습이 재미가 있었나 보다. 가스 불을 끄고 타버린 붕어빵틀을 찬물에 담가 식혔다. 다시 쇠 수세미로 검정을 닦고 다시 내와 덥혀 빵을 만들었다. 그렇게 몇 번을 실패하고 그럴듯한 맛있는 붕어빵이 나왔다. 앞의 편의점 사장님 사모님께도 드리고 극단 건물 1층의 칼국수 식당 사모님께도 맛을 보시라고 했다. 주위에 빵을 전달하며 개업 신고를 했다. 나도 한 입 먹어보니 달짝지근하고 바삭하고 그럴듯한 게 맛이 파는 붕어빵 맛이 드디어 났다. 어묵도 끓었고 떡볶이도 달게 만들었다. 그런데 이제 붕어빵이 나오는데 손님이 없었다.

골목에는 사람이 추워서인지 돌아다니지 않았다. 그래서 지하 극단 사무실에 내가 가져다 놓은 작은 카세트를 기둥에 걸고 음악을 틀었다. 그리고 길보드 차트 히트곡 복사 테잎을 넣고 Play 버튼을 눌렀다. 분위기 전환을 위해 신나는 곡을 찾았다. 분위기가 축쳐지면 안 될 거 같았다. 신나는 음악이 나오니 긴장이 풀리기 시작했다. 그래서 나온 곡이 바로 당시 최고의 인기곡인 댄스 가스 엄정화의 '페스티발'이었다. 이 노래를 들으면 노점을 시작한 나의 당시의 상황이 파노라마처럼 떠오른다. 발버둥 치는 내 삶의 새로운 시작을 응원하는 노래다.

정말 그때 나는 더 이상 내려갈 곳도 없다고 생각했다. 자존심이고 나발이고 없었다. 빌린 돈을 갚아야 했고 또 돈을 벌어 생활을 해야만 했다. 나이 서른 무렵에 시작한 마지막 비상구가 붕어빵 노점 장사였다. 찬바람을 맞으면서 손을 데워가며 열심히 빵을 구웠다. 그 동그랗게 돌아가는 붕어빵틀에 내 삶의 열정을 불어넣었다. 더이상 밀리면 안 돼 하는 간절한 마음으로. 그래서 아이들이 200원 어묵 꼬치를 사도 반겼고 붕어빵 한 개 200원을 사는 꼬맹이들이 그렇게 고마웠다. 근처 태권도장에서 3천 원어치 붕어빵 15개를 주문했을 때 너무 기뻐서 날아갈 것만 같았다. 이후로 태권도장으로 배달을 직접 해주기도 했다. 서비스로 몇 마리 더 주기도 했다. 단골 확보 차원이다. 아이들에게 맛을 보라고 권했다.

그 추운 겨울바람을 맞으며 나의 새로운 삶이 시작되었다. 그리고 그 귓불을 때리는 차가운 바람과 내 청춘의 불안을 잠시나마 잊게 해준 응원곡이자 나의 작은 붕어빵 포장마차의 힘듦을 잊게 하는 노동요가 바로 이 노래 '페스티발'. 지금도 이 노래를 들으면 콧등에 밀가루 반죽을 묻히고 손목이 끊겨져라 무거운 반죽이 들은 양은 주전자를 들었다 낮다 붕어빵들에 넣었다. 갈고리를 가지고 돌리며 회전시키던 뜨겁게 달궈진 검은 붕어빵틀. 나의 푸릇푸릇했지만 정답 없는 불안하고 씁쓸했던 고향에서의 청춘의 끝자락과 필름처럼 마주하게 된다. 축제는 현실을 극복하려는 마음 자세에서부터 시작된다. 그 답이 없던 시절 조금의 시름을 잊게 해준 노래가 난 좋았다.

제26화 세월이 가면

- 최호섭 -

내가 어렸을 적 살던 동네는 언덕을 올라가면 여중, 여고가 같이 자리하고 있었다. 수용소라 불리는 가난한 동네보다 위쪽에 있었는데 우리 동네도 수용소로 불렸는지도 모른다. 경사진 오르막 언덕의 도로 양쪽에 있는 우리 동네. 수용소보다 좀 더 형편이 나았지만 지금 보니 거기서 거기였다. 6.25 사변 이후 피난민들이 모여 살았던 동네라 그렇게 불리지 않았나 싶다. 시간과 역사는 나이가 들어보니 그리 멀지 않은 가까운 시간이었다는 생각이 든다. 69년생인 내가 태어났을 때는 민족 동란의 상처가 아직 남아있던 때였지 않았을까. 그리고 국민학교(초등학교)에 다니던 1970년대 중후반은 또 월남전의 흔적이 남아있었다.

우리 집 아래에는 시민슈퍼와 양복점이 있었다. 아주머니가 운영하는 작은 구멍가게와 그 분의 남편인 양복쟁이 아저씨가 일하는 양복점. 그 가게 앞 신작로를 건너면 노란 페인트가 벗겨진 안주 일절이라고 나무 간판이 붙여진 왕대포집이 있었다. 바로 동네 친구 숙이네 엄마의 술집이다.

유난히 검은 긴 머리카락에 커다란 눈 그리고 좀 두꺼운

입술. 숙이 누나는 야무진 모습이었다. 친구들은 왕대포집 위에 많이 살았다. 친구들을 만나러 가면 왕대포집을 지나가는데 간혹 거기 사는 아저씨와 우연히 마주치면 날 알아보고는 함박웃음을 지어주셨다. 나도 싫지는 않았다.

"안녕하세요? 아저씨"
"오~ 그래 우리 사위 황 서방 왔는가!"
"숙이 있어요?"
"그래, 숙아! 우리 사위 석이 왔다"

환하게 웃으며 내 머리를 쓰다듬은 아저씨. 숙이 아버지는 목수였다. 늘 귀에는 몽땅 연필을 꽂고 다녔다. 절룩이며 걸었지만 신발은 항상 광택이 잘 나는 번쩍이는 구두였다. 날 쓰다듬은 손은 굳은 살이 박힌 손이 묵직한 느낌이었다. 대머리에 발목이 돌아가서 절룩거리던 작은 아저씨였다. 친구 숙이는 안에서 나에게 늘 사위라고 하는 자기 아버지를 보고 창피해 어쩔 줄 몰라 했었다.

숙이 엄마가 대폿집을 했다. 왕대포가 막걸리라는 사실도 나중에 알았다. 밤이 되면 젓가락 두드리는 소리가 요란했다. 숙이 엄마가 치는 신나는 장구 장단도 흥을 돋았다. 요란한 화장을 한 한복을 입은 아가씨도 본 적이 있었지만 원형 탁자 몇 개만 있었다. 작은 대폿집엔 아주머니가 두부 요리도 하고 시중도 들고 술친구를 했었지 않았을까. 숙이 엄마인 아주머니도 날 좋아했다. 날 보면 항상 웃었고 사탕도 건네주었고 무엇보다 또 자주 취해계셨다. 환한 대낮에도. 친구는 뾰루퉁해져서 집을 뛰쳐 나갔다. 그러면 목수인 아저씨가 뒤

틀린 발목에 구두를 걸치고 따라 나가서 말했다,

"어디 가냐? 친구 왔는데"
그리고는 나에게 옛날 과자를 주거나 동전을 주기도 했다.
"공부 잘하고 있지? 우리 황 서방!"
"못해요. 그냥요..."
"에구 잘 생기고 귀여운 우리 사위"

"이 여편내가 뭐시 어째?"
"집에서 당장 나가 내가 지금 이 꼴이 뭐여"

　동네 술집인 대폿집에서는 술에 취해서 싸움이 많이 있었
다. 아주머니와 아저씨가 싸우고 있었고 손님들이 서로 싸우
기도 했다. 대폿집 격자 유리창은 자주 쨍그랑하고 깨지곤
했다. 아주머니가 낮술에 취해 골목에 쓰러져 있기도 했다.
그러면 친구 숙이가 엄마를 울면서 깨우기도 했다.

　나는 친구가 우는 모습을 보지 않으려고 삥 둘러서 집으로
들어가지 않고 한참 밖에 있었다. 한번은 숙이한테 물었다.
데릴사위가 뭐야? 너 정말 몰라? 몰라... 너 정말 바보구나
난 그 의미를 나중에 알았다. 데릴사위란 그런 의미인 줄 몰
랐다. 뺑뺑이를 돌려 중학교에 가서 검정 교복과 검정 모자
를 썼다. 언제부터인가 대폿집은 문이 굳게 닫혔다. 사람들의
왕래도 끊겼다. 아저씨도 아주머니도 숙이도 보이지 않았다.
그 이후로. 숙이는 나중에 선생님이 되고 싶다고 했었는데.
지금은 어디서 어떻게 누구의 아내로 누구의 엄마로 살고 있
을까. 아저씨와 아주머니는 지금쯤 살아계실까?

난 내가 태어난 그 햇볕이 잘 안 드는 용두동에서 30년을 살았다. 나중에 알았는데 그 호수돈 여중, 여자 고등학교의 땅에서 살고 있었던 것이었다. 그 무허가 땅의 집을 고모가 사주었단다. 얼마간 이용료를 내기도 했단다. 그리고 개발이 된다고 해서 보상금을 받고 처음으로 이사 갔다. 나중에 가 보니 마을은 공중변소를 사용하던 우리 아래 수용소 마을은 대단지 아파트가 들어섰다. 그리고 우리 집의 터는 작은 교회의 주차장이 되어있었다.

숙이는 지금 어디서 어떻게 살고 있을까 날 사위로 삼고 싶어 하던 아저씨 아주머니는 돌아가셨을까? 세월이 그렇게 또 흘러갔고 또 한해가 그렇게 말없이 저물어 간다. 군대에 가니 한동안 잊혀졌던 그 친구 생각이 오랜만에 떠올랐다. 그리고 이제 오십 줄을 휙 지나고 흰머리가 나니까 이 노래 가 더 가슴에 와닿는다.

닿을 수 없는 시절 닿을 수 없는 인연. 무심히 흘러가는 세월 앞에서 내가 알고 기억하던 사람들이 어디에서건 그저 안녕하길 기원한다. 또 연세가 드셨겠지만 안녕하시길 숙이 가족 모두가 행복하고 건강을 빌어 본다.

제27화 이미 슬픈 사랑
- 야다 -

　　어떤 노래는 어떤 사람을 통해 알게 되고 또 그 사람의 애창곡으로 기억하게 된다. 3~4년 전인가 갑자기 부고 후 보내는 감사의 문자가 왔다. 아버님 상을 당했는데 잘 치르고 감사했다는 K의 문자. 정말 당황했다. 연락처도 잘 기억하지 못했던 때였기에. 꼭 가야할 문상도 못가고 너무 미안했다.

"아니 나 지금 문자 받았어. 돌아가셨다니?"
"네 형 그렇게 됐어요"
"나 부고 연락을 못 받았어. 정말 미안하다 야..."
"괜찮아요. 형 잘 지내죠?"
"응 나 그냥 그래. 직장 다니고 뭐 너는? 결혼했니?"
"아직요... 연극해요. 대학로에 있어요. 공연 보러 오세요"

　　그렇게 오랜만에 통화를 했다. 한동안 잊혀졌던 K와의 잊을 수 없는 인연이 어렴풋이 떠올랐다. 25년 전 지방 KBS 방송국 라디오 스튜디오에서 그 친구를 처음 만났다. 나는 그때 1주일에 한 번씩 문화정보 프로에서 영화산책이라는 코너의 고정 게스트였다.
지역에서 영상문화운동 컬트라는 단체를 이끌고 영화제를 하고 월간 소식지를 내면서 사무실을 꾸리고 있었다. 그때 그는 극단의 여자 대표님과 새로운 연극을 홍보하러 나왔다. 어렴풋이 전국 연극제에 대전 대표로 나가게 돼 공연 홍보를 하러 왔던 것 같다. 라디오 스튜디오 대기실에서 인사를 나누고 연락처를 교환했다. 우리 시네마테크 컬트가 빔프로젝터가 있어서 그걸 빌려주러 극단 사무실에 가기도 했다.

이후 나는 월세를 내며 사무실을 꾸릴 힘이 부족해 이곳저곳을 떠돌게 되었다. 회원중 한사람이 운영하는 토마토 공격대라는 까페와 '선사 시네마'라는 극장의 지하를 돌아다녔다. 이사는 많은 영화잡지 및 책들과 비디오테이프가 문제였다. 이후 그 극단의 지하 연습실까지 흘러 들어가게 되었다. 배우가 부족한 상황에 내가 연극을 돕고 배우를 하기로 약속을 했다. 발성 연습을 하고 다음 작품의 스텝이 되어 무대를 만들고 소품을 준비하는 극단의 늙은 막내가 된 것이다. 두 살 아래인 그는 키도 크고 이목구비가 뚜렷한 게 천상 멋진 배우 같았다. 누가 봐도 미남이고 말이 나올만했다.

힘도 좋고 손재주도 많아서 뚝딱 뚝딱 공연무대도 잘 만들고 또 곳곳의 고장난 곳을 수리했다. 우리 극단의 마당쇠이자 궂은일을 도맡아 하는 살림꾼 역할을 했다. 이 친구 K는 원래 룸살롱 웨이터 일을 했다. 그 당시에도 공연이 없으면 밤일을 나갔다. 그래서 돈을 꽤 모았는데 당시 우리 전셋집 전세금보다 많은 돈을 모아놓아서 놀랐다.
"형, 시간 좀 있어요?" "어, 나야 뭐 늘 남는 게 시간이지"
"같이 가볼 데가 있어요. 밥 살께요" "응, 그래 같이 가자"
마침 우리 집은 극단에서 5분 거리 만년동의 상가주택에 이

사를 와서 살고 있었다. 그와 같이 간 곳은 유흥가였다.

"형, 내가 있잖아. 돈을 좀 여기 아가씨들한테 빌려줬거든. 그런데 애들이 빌릴 때는 싹싹거리다가 안면몰수 하잖아"

"그래, 그렇구나 그런데 얼마나 빌려줬는데..."

들어보니 정말 한두 푼이 아니었다. 술집을 돌며 얼마의 돈을 회수하고 아가씨들이 사는 집을 돌기도 했다. 술집 아가씨들 중에는 알뜰하게 돈을 모으는 사람이 있는 반면에 흥청망청하면서 유흥업에 종사하는 사람들도 많았다. 웨이터들도 그랬다. K는 알뜰하고 성실한 친구라서 돈을 모을 수 있었던 친구였다. 극단 대표님의 리오 승용차를 몰고 가다가 그가 CD를 틀었는데 그때 나온 노래가 바로 <이미 슬픈 사랑>이었다. 나는 처음 듣는 노래였는데 멜로디부터 마음에 들었고 시원하게 지르는 창법이 가사와 어울리며 참 좋았다. 그가 이 노래를 따라불렀다. 자기가 좋아하는 노래라고 했다.

시민회관에서 한 우리 극단의 공연 작품 제목은 '맨하탄 일번지'였다. K의 단독주연 작품이라 내가 대사도 쳐주고 열심히 준비했다. 극단에서 같이 연습을 하며 밤을 새우기도 했는데 그때도 이 노래를 자주 들었고 같이 흥얼거리게 되었다. 연극의 내용은 이렇다.

운동권 친구인데 고문을 당하고 미국으로 망명을 간 한 WK, 그늘 불법 이민자로 마트에서 일하며 숨어 산다. 그러다가 세계의 평화를 위해 전쟁을 일으킨 미국 대통령을 암살하려는 계획을 세운다. 그러나 과대망상으로 정신이 이상해지고 결국 권총을 머리에 쏘고 자살한다는 내용이다. 늘 무대를 만들고 조연만 하던 친구가 주연을 맡아 멋진 연기를 보여주었다. 공연중 남자가 혼로 창고에서 술을 마시다가 부르는 노래가 바로 이 노래다. 연극에서도 멋지게 노래를 부르며 암전이 온다. 사흘간의 공연 후 뒷풀이 자리엔 극단 대표님과 나와 K 그리고 대표님, 동갑내기 단원 J, 그리고 L 누나, M 누나가 함께했다. 소박하게 삼겹살을 먹고 2차 노래방에 갔다.

이 자리에서 K가 부른 노래는 역시 공연 중에도 불렀던 '이미 슬픈 사랑'이었다. 특히 대표님 다음으로 연장자인 M 누나가 K의 이 노래를 좋아했다. 호탕한 성격의 M 누나는 직장에 다니고 있어서 연기는 같이 못했지만 늘 우리 공연에 와서 응원해주고 계셨다. 나중에 들은 이야기로는 얼마 후 뇌종양으로 안타깝게도 일찍 세상을 뜨고 말았단다.

서서히 감정을 끌어올리는 서정적인 가사와 남성 록밴드 특유의 파워풀한 가창력이 돋보이는 이 노래. K도 쭉쭉 고음을 잘 내질렀다. 세기말을 향해 달려나가는 불안한 청춘을 잘 표현하고 또 아픈 사랑에 포효하는 듯 하는 묘한 매력이 있었다. 얼마 전 대학로 뒤의 새 작은 아파트에 들어간 K에게 내 책과 커피 쿠폰을 선물했다. 그도 아직 뜨지 못하고 변하지 않고 연극을 하고 있다. 역시 나도 영화로 뜨지 못했지만 우리는 아직 꿈을 위해 도전하고 있다. 괜찮다 잘 될 거라고 위로해주었다.

이 노래는 내가 그를 통해 알게 된 노래고 종종 찾아 듣고 흥얼거리는 노래가 되었다. 그리고 이 노래는 극단 단원 시절 지하 사무실에 같이 밥을 해 먹고 공연을 준비하고 시절로 돌아가는 마법을 부린다. 그리고 어렵지만 아직도 꿈을 버리지 않고 있기에 대견하고 칭찬받아 마땅한 우리의 삶에 대한 위로를 느끼게 해주었다.

28화 슬픈 그림 같은 사랑

- 이상우 -

　고등학교를 졸업하고 아무 생각 없이 대학에 좀 다니다가 또 깊은 생각 없이 대전 지방 병무청에 가서 육군 일반병 자원입대 신청서를 써냈다. 막 제대하는 형님이 복학해야 했다. 음대를 다니던 누나도 있어서 내 딴에는 내가 잠시 없어져야지만 부모님 부담이 덜겠구나 하는 생각을 했기 때문이었다. 1988년 6월 10일 입대 날. 날씨는 참 청명하고 좋았다. 그날 논산훈련소로 자원입대하는 날에도 고3 때부터 시작해 대학을 다니면서도 계속했던 새벽 신문 배달을 마치고 들어갔다. 집의 가족들에게는 "할머니, 군대 다녀오겠습니다" 하고 인사말을 했다. 부모님은 두 분 다 일을 나가시라고 했다. 나오실 필요 없다고 하고 어머니의 도축장 현장에서 일하는 아저씨의 트럭을 얻어 타고 연무대로 향했다.

　다른 입대 장정들은 가족들 눈물의 배웅을 받았다. 군복을 지급 받아 갈아입고 사제복과 신발은 소포로 대전 집으로 보냈다. 며칠을 대기하다가 연무대인가 강경에서 야간열차에 올라탔다. 어디로 가는지도 몰랐다. 나중에 알았다. 용산역을 지나 새벽에 춘천역에서 군용열차에서 내렸다. 60 트럭을 타고 간 곳이 102 보충대 자대를 배정받고 거기에서 다시 화

천 27사단 신교대로 갔다. 그것도 나중에 알았다. 미리 어디 어디 간다고 이야기하면 어디가 덧나나 싶었다. 하여간 군대 는 가봐야 알고 가보니 그렇다 하는 곳이었다. 신교대에서는 무더운 7, 8월에 군인의 기본기 훈련을 했다. 군가도 거기서 많이 배워서 불렀다. 사단가, 연대가는 기본이었는데 거기서 도 교가처럼 무슨 산 이름이 제일 먼저 나왔다. 우리는 사단 가에는 화천 화악산이 나왔다. 최후의 5분, 멸공의 횃불, 팔 도사나이 등등 그리고 춘천이니까 '소양강 처녀'를 참 많이 불렀다. 처음 그리고 앞으로 3년간 줄기차게 부른 노래였다. 작업줄, 식사 줄서기, 교육 훈련 등 모두 열을 맞춰 갈 때마 다 군가를 불렀다. 신교대에서 또 이런 군가를 들었다. 처음 엔 이게 무슨 노래지 싶었다 군가가 아닌 것 같았다.

"가고 오지 못한다는 말을 철없던 시절에 들었노라 나는 세상모르고 살았노라" 나중에 그 노래가 송골매의 <세상모르 고 살았구나> 라는 노래란 걸 알았다. 군대에서 부르면 가요 도 군가가 되는 거였다. 왠지 남자다운 기백도 느껴졌고 일 반 군가와 다르게 신선한 느낌이 있었다. 신교대 조교가 가 르쳐주어서 즐겨 부르던 유행 군가(!)였다. 생각해보니 이건 뭐 사재와의 연을 끊기 위한 사전 작업 같기도 하고 하여간 군가를 그렇게 목이 쉬어라 불어 제꼈다.

하지만 20살 사회물을 먹은 처지에서 그것이 쉽게 끊어지 지 않았다. 그때 내가 좋아했던 그러니까 붙잡고 있었던 노 래가 바로 당시 유명한 강변가요제를 통해 알게 된 이상우의 '슬픈 그림 같은 사랑' 난 지금도 이상우의 노래가 좋다. 그 또랑또랑한 목소리가 가지는 뚜렷한 의미와 감정의 전달력이 좋다. 하긴 당시 안경 쓴 내 모습도 가수의 모습과 비슷하기도 하다. 대학에 입학해서 짝사랑하던 소피 마르소 닮은 란이를 생각하며 이 노래를 불렀더랬다. 야간 초소 근무를 나가서도 집합을 당해서 열라 졸라 오지게 얻어터져도 잠깐 짬이 나면 이 노래를 생각하고 나직하게 불러보았다. 강변가요제에서 금상을 탄 노래인데 물론 소대 회식 때는 이상은의 <담다디>로 막춤을 추기도 했지만 혼자 힘들고 또 외로움을 느낄 때는 정말 이 노랠 즐겨 불렀다.

내가 짝사랑하던 친구는 역시나 어리바리한 모습에 안경을 낀 수줍음 많은 날 쳐다도 안 보았다. 내가 봐도 무슨 매력이 있겠나. 어줍잖은 모습이었다. 남자가 여자가 바라보는 눈과 여자가 남자를 바라보는 눈은 다른데 아무런 준비도 안되었으니... 여하튼 가을에 자대 배치를 받고 교육 훈련이다 뭐다 바쁘게 돌아가는 시간이었다. 짬밥을 먹고 똥국이 불리는 된장국을 돌아서면 바로 배가 꺼지는 그 시절, 아 그때도 난 튀김을 좋아했다. 그 정어리인가 꽁치 튀김 반찬이 참 맛있었다. 잔가시가 많았지만 누런 튀김가루도 조금 묻어있었고 고소한 기름 냄새가 났으니까 그런 것 같다.

가을에 주변 산을 싸돌아 다니며 그리 많은 싸리 나무를 낫으로 꺾어서 말리고 비를 만들었는데 그 작업을 나간 이유도 곧 알게 되었다. 하얀 눈이 정말 거기 화천 강원도에는 장난이 아니게 많이 왔다. 그리고 겨울에는 하루가 멀다 하고 왔다. 눈을 구경하는 일은 좋았다. 치우지만 않으면, 자다가도 일어나서 치워야 했다. 서까래로 큰 눈을 밀어내고 작은 눈은 싸리비로 쓸었다. '당카'라고 해서 긴 나무막대 사이에 마대 자루를 연결한 농기구였는데 그 당카에 눈을 가득 싫어 버리기도 했다. 빗자루는 금방 또 망가지기도 했으니 가을이면 톱 한 자루를 가지고 산에 가서 싸리나무를 잘라 온다. 그리고 연병장에 잘 널어 말린다. 그리고 잎을 턴다. 그런 다음 칡넝쿨로 단단히 묶으면 싸리비가 된다. 부대 청소용도 되지만 참 중요한 월동장구였다. 눈이 그치고 영하 20도 가까이 몰려온 어느 날이었다. 교회 종교행사에 다녀와 받은 초코파이 1개를 야상 주머니에 넣은 날 오후였다.

"전달~ 전달!" 각 소대 막내들이 연락병을 역할을 해서 막사에 튀어 나가 복명복창! 사역병 2명씩 집합! 사역병 집합!내 아래로 2명인가 들어와서 나와 바로 아래가 중대 연병장에 집합. 중대 동기들 4명이 다 모였다. 주머니에는 초코파이가 바스락. 가서 두꺼운 막대기를 가져오란다. 무슨 일이지? 바로 X탑 자르기였다. 중대 3소대 옆에 화장실 건물이 있었다. 당연히 바닥에 구멍만 뚫린 푸세식이었다. 그 당시 80년대 후반에 수세식이 강원도 전방 산골에 있을 리가 없다. 여름보다 겨울이 문제였다. 우리 젊은 혈기 왕성한 군바리들이 싼 응가가 아래로 흐르다 피라미드처럼 찬 기온에 급격히 얼어 버리고 만다.

네모나게 뚫린 직사각 시멘트 구멍 아래로 쭉 내려가야 하는데 겨울에는 차곡차곡 위로 산 모양으로 쌓인다. 그래서 그걸 잘라내야 했다. 안 그러면 뚫고 밖으로 나오니까. 코를 막고 나무작대기로 건드려 보았는데 꽁꽁 언 아이스 똥 덩어리는 꿈쩍도 안했다. 그래서 톱을 가져오라고 한 것이다. 신문을 깔고 엎드렸다. 먼저 금방 눈 응가는 아래로 밀어 내리고 그리고 최대한 자세를 낮추어 팔을 넣어 응가탑을 쓱싹 쓱싹 잘라냈다. 그런데 냄새는 얼지 않았다. 온몸을 휘감은 짬밥 응가의 냄새. 잠시 쉬는 틈을 타 화장실 뒤에 가서 초코파이를 꺼냈다. 아까 엎드려 톱질을 하느라 뭉개진 소중한 초코파이. 조심스럽게 봉지를 열고 누가 뺏어 먹을까봐 주위를 둘러보았다. 아무도 없다. 입맛을 다시고 "우앙~"하고 입을 저 벌리고 초코파이를 한입에 넣었다. 너무나 달콤했다. 달랑 한 개지만 잊고 지냈던 달콤한 군대 밖 사회의 향기가 온몸을 감쌌다.

짝사랑한 그녀가 생각났다. 누구는 입대날 울어주고 같이 훈련소도 온다는데 나는 참 능력 없는 남자라고 생각하니 서글퍼졌다. 그렇게 입대 첫해의 무지막지한 겨울을 보냈다. 그러면서도 난 사귀지도 않았고 이별도 하지 않았지만 실연남처럼 이 노래를 불렀다. 그런 상상은 자유니까. 이런 이별의 노래는 팍팍한 현실에 일말의 자기 위안이 되니까. 사랑이란 이름만 들어도 그 전방 고립된 산골의 겨울 추위는 조금 달아나게 하는 마법이었으니까.

이상우의 맑은 목소리에는 비련의 느낌이 묻어난다. 그리고 그것을 사랑의 아름을 초월하고자 하는 담담함이 느껴진다. 진짜 사랑도 안 해봤지만 나는 이별의 상대자가 된다. 그리고 그것이 20대 막막한 군 생활에서 지친 나에게 위로를 준 노래 그 노래가 바로 이 '슬픈 그림 같은 사랑'이다. 그 시절도 언젠가는 그리워지니까.

제29화 불티

- 전영록 -

우리 학생 때 그러니까 내가 고등학생일 때는 교과목에 교련이 있었다. 회색에 검은 무늬가 있는 교련복 입고 운동장을 단체로 모형 총을 들고 행진하였다. 깃발을 내리고 경례하는 사열도 운동장에서 받았다. 그리고 그걸 연습하고 기합도 받고 그랬다. 그리고 봄마다 교련복을 입고 발목에 각반을 차고 국도를 따라 행군도 했다. 왜 했는지는 정확히는 안 가르쳐주어서 몰랐다. 하라고 했으니 따라갔다. 가방 안 메고 수업이 없으니 그냥 좋았다.

점심 도시락은 소풍이 아니니까 김밥이 아니라도 좋았다. 그저 야외에서 밥을 먹고 수업을 안 받는 하루, 그냥 제끼는 날이니까. 대전 대신고 1학년 때였었다. 대전 석교동에 모여 금산의 임진왜란 때 의병장을 모신 칠백의 총까지 행군을 했다. 꽤 먼 거리였다. 금산 가는 국도변을 걸어갔기에 경찰차가 잠시 에스코트도 해주고 우쭐하기도 했다. 그렇게 오래 걸은 적이 없던 애들은 조금 힘 들어했다. 나야 뭐 학교를 걸어 다녔으니 그냥 그랬다.

배낭도 없고 차도 옆을 일렬로 걸었다. 힘들면 그냥 바닥에 앉아 중간 휴식도 했다. 칠백의총에 도착하고 밥을 먹고 참배를 하고 빙 둘러앉았다. 애들처럼 수건돌리기는 하지 않았지만 장기 자랑이 있었다. 누가 뭘 할지 서로 얼굴만 쳐다보고 서먹한 시간. 내가 이럴 줄 알았지. 나도 상상한 바였다. 난 손을 번쩍 들고 나갔다. 교련 모자를 거꾸로 쓰고 손으로 마이크 모양을 만들고 기마자세를 취했다. 검은 선글라스를 꼈다. 준비했던 것 같은데 아닌가? 잘 모르겠다.

"나에 뜨거운 마음을 불같은 나의 마음을 다시 태울 수 없을까? 헤어지긴 너무 아쉬워" 여기서 하이라이트다. "하학하하학 학학~~~" (어깨를 들썩이며 끈적하고 숨넘어가게) 난 전영록의 당시 가요톱10 히트곡 <불티>를 불어 제꼈다. 다들 놀라 자빠졌었지. 후후훗 ~ 전날 장기자랑이 있을 거 같아서 나름대로 노래를 준비했다. 늘 조용한 내가 앞에 나가 그런 노래를 부를 줄 다들 생각은 못했을 것이다. 나도 한다면 한다는 것을 보여주려고 내 딴에는 큰 용기를 낸 것이다. 아마 당시에 내 노래를 기억하는 친구들이 있을까? 여드름 덕지한 친구들이 이제 나이를 먹어 어디서 어떻게 살고 있는지 궁금하다. 아직도 전영록 형님은 나이를 거꾸로 드시는가 젊어 보이시던데... 그 패기 젊음! 이제 돌아갈 수 없는 시간이지만 그렇게 빛나는 청춘 사춘기의 시절이 있었다.

제30화 빙고

- 거북이 -

　서울에 올라와 독립영화 워크숍을 우여곡절 끝에 마쳤다. 3개월의 과정이니 졸업작품이라고 하기도 그렇고 수료 작품을 만들었다. 내가 쓴 시나리오는 '주말의 명화'였는데 팀원의 의견을 반영하다니 보니 작품은 별로 주목을 못 받았다. 그러니까 한마디로 재미가 없었고 무엇을 말하는지 모르는 엉성한 어정쩡한 영화가 되었다. 그리고 이후에 알음알음 단편영화를 만드는 친구들을 도왔다. 그런데 돈이 되는 일도 아니고 미래가 창창한 것도 아니었다. 그렇게 같이 작업한 작품이 각종 단편 영화제에 선정되어 상영되고 수상하면 좋은데 그렇지도 못했다.

　그러다가 우연히 무슨 잡지인가에서 본 모임이 '뚜벅이의 길'이란 걷기 모임 동호회였다. 그리고 경향신문 매거진 X라는 코너에도 모임 소개가 나왔다. 다음 까페라는 것도 난 처음 알았다. 큰돈도 필요하지 않고 그냥 걷는 게 좋은 사람들이 모여 같이 오래 걷는다는 것이 난 마음에 들었다. 그래서 그 모임에 가입을 하고 수원 화성을 걷는 모임에 나갔다. 비가 오는 날이었다. 10명 내외의 사람들이 모여 비 오는 수원 화성 행궁을 걸었다. 나도 처음 가본 그곳. 도심 속 낮은 성벽과 고즈넉함. 수줍게 말을 나누며 천천히 걸었다. 그리고 간단히 밥을 먹고 헤어졌다.

새로운 세기가 시작된 2000년대 초 혈혈단신 상경을 하였고 단편영화 작업을 배우고 시작했다. 그리고 독립영화협의회에 소속되어 독립영화발표회를 진행하였다. 홍릉의 영화진흥위원회 그리고 광화문 흥국생명빌딩 지하, 두타 등에서. 영화아카데미 졸업작품의 프로듀서도 맡았다. 10여 편의 단편영화의 스텝으로 참여했으나 뚜렷한 결과가 나오지 않았다. 그리하여 좀 지친 상태였다. 그때 내 지친 내 마음에 휴식처가 되가 활기가 된 모임이 바로 뚜벅이의 길이란 모임이다. 아마 2003년 봄에 첫 모임을 나갔던 걸로 기억난다.

난 곧 이 모임의 재미에 빠져들었다. 그래서 한 달에 한 번 만나는 모임이 아쉬워 내가 번개 모임을 하기도 했다. 많아야 10명 내외 작게는 3, 4명도 모이는 모임은 소박하고 즐거웠다. 우리는 만나면 같이 걸었다. 그저 걷는 것을 좋아하는 사람들이었다. 그리고 만원 정도 걸어 점심이나 저녁을 같이 먹었다. 그리고 헤어졌다. 그해 겨울인가 난 이천의 설봉공원에 가자는 번개 모임을 했던 걸로 기억이 난다. 동서울터미널에서 이천으로 가는 버스를 탔지 아마. 갑자기 이천에 왜 갔냐면 거기 내가 아는 사람과 같이 가보았기 때문이다. 터미널에서 가까운 설봉공원은 나지막하니 걷기에 딱 좋고 시외로 바람을 쐬러 가자는 의미였다. 그래서 5명인가 6명이 모였다. 공원에 갔는데 그때 산이라 눈이 아직 많이 남아있었다. 그 산자락을 끝에서 무슨 마대 자루인가를 주워 내 권유로 우리는 눈썰매를 탔다. 우리 걷기 회원들이랑. 처음엔 머뭇거리던 친구들도 한번 타보니 너무 재밌는거라 여러번 위에 올라가 미끄럼을 탔다. 또 엎어지고 깔깔대고.

난 끄적끄적 거리는 걸 좋아해서 집에 와서 늦게라도 인터넷 까페에 후기를 또 정성스럽게 썼다. 그래서 내가 쓴 글에는 조회 수가 많고 댓글도 많이 달렸다. 그래서 내가 주관하는 모임은 꽤 인기가 있었다. 그날 저녁 그때 찍은 사진을 연속으로 붙여 음악을 깔아 동영상처럼 보이게 했다. 그게 아직도 남아있는지 모르겠다. 그때 배경음악으로 깐 노래가 바로 이 거북이의 '빙고'였다. 리더인 남자와 여자 2명이 부르는 노래인데 아주 경쾌하고 신나는 노래였다. 어둡고 칙칙한 현실을 덮어주고 또 용기를 주는 노래 가사였다. 일단 리듬이 아주 신나서 들썩거리게 하는 기분이 좋아지는 노래가 바로 빙고. 아쉽게도 리더가 급작스레 세상을 떠났다. 대중가요의 너무 소중한 인재가 사라져서 지금도 안타깝다.

그때 이 음악과 함께 눈썰매를 타고 내려오던 뚜벅이 친구들은 지금 어딘가에서 잘살고 있는지 궁금하다. 분명히 건강하게 누군가의 아내로 남편으로 건강하게 살 것이다. 이 노래를 들으면 걷기 모임에서 열심히 활동하며 서울 생활의 재미를 찾게 된 그 시절 30대 중반의 시절로 타임머신을 타고 돌아가는 느낌이 든다. 어찌 보면 가사대로 산다는 것은 마음먹기에 달린 것 같다. 내 환경과 처지를 비관하지 말고 웃으며 살아가라는 이야기. 산자락의 마대 눈썰매를 타고 미끄러지며 그때 우리도 정말 활짝 미소를 지었다. 이 노래는 그냥 경쾌한 음악만 있어서 흥겨운 것이 아니라 가사가 주는

희망과 용기에 더 즐거워지는 기분이었다. 사실

그 당시에 나는 슬럼프에 빠져있다고 해도 과언이 아니었다. 서울에 올라가 영화를 한다고 했는데 워크샵을 끝나고 동기 3명과 프로덕션을 만든다고 잠깐 의기투합했었다. 하지만 곧바로 서로 맘만 상하고 헤어지고 말았다. 독립영화발표회를 진행하며 여러 사람의 단편영화의 작업을 서로 도와주고 있었다. 그중에 명동의 국립 영화아카데미 학생의 졸업작품 프로듀서로 참여하고 의욕을 보였지만 작품이 별 호응을 얻지 못하여 의기소침하던 상태였다. 영화가 잘 되어 영화제에 상영이 되면 내 이력에도 도움이 되는 데 그것도 잘 안되었기 때문이었다. 돈을 버는 것도 아니고 영화작업도 지지부진했다. 내가 돈을 모아둔 게 없어서 내 돈으로 영화를 하지도 못하는 상태였다.

걷기 모임에 참여해서 부담 없이 걷고 사람을 알게 되고 또 그 이야기를 카페에 쓰고 공감을 얻고 또 신나게 모임을 만들고 그렇게 스트레스를 풀었다. 그리고 이천 설봉공원 잔설에서 눈썰매를 타는 사진을 엮은 음악이 이 거북이의 '빙고'였다. 이 밖에도 나는 거북이의 노래 모두 좋아한다. 자칫 우울할 수 있는 상황에서 즐거운 기운과 행복을 전해준 노래였기 때문에 내가 사랑하는 노래다.

Chapter.4

그리움과 사랑은 잊혀지지 않는다

제31화 그녀의 웃음소리뿐
- 이문세 -

  경기도 이천. 나는 지금 이천 바로 옆 경기도 광주 시민이
된 지 12년째이다. 어떻게 나는 고향 대전에서 이곳까지 흘
러왔는가 생각해 보면 참 인생은 알 수가 없다. 이천과 나는
별로 상관이 없지는 않다. 위의 글에서도 나왔지만 서울에
올라와서 사귄 친구가 바로 이천에 살았다. 2층에 작은 밥집
겸 술집을 했는데 그 친구는 채팅 사이트에서 알게 된 닭띠
동갑내기였다. 내가 서울에 올라온 건 독협워크샵 때문이었고
워크샵을 마치고는 동기랑 무슨 프로덕션 작은 영화사를 한
다고 또 한참을 의기양양하게 지냈다. 그 친구의 서초동 오
피스텔에 묶기도 하였지만 집이 없는 신세는 마찬가지였다.

  그때 전주에서 올라와 방송국 카메라 촬영 보조를 하는 친
구를 알게 되었다. 그 친구가 사는 사당역 근처의 고시원에
가보았는데 작은 방이지만 그것도 어찌나 부러운지 몰랐다.
여하튼 난 좀 힘들 때 이천의 그 동갑내기 친구의 술집에 놀
러가서 밥과 술을 얻어먹었다. 친구가 좋은 게 뭐냐고 내 고
민도 들어주고 앞으로 잘 될거야 라고 응원도 해주었다. 그
이성 친구는 정말 격이 없게 날 대하고 말이 통해서 내가 이

천에 가면 늘 같이 놀았다. 우리는 노래도 좋아해서 노래방도 같이 갔고 내가 영화작업을 하던 친구도 이천에 데려가서 소개하기도 하고 같이 어울리기도 했다. 언제인가는 자기 가게 옆의 꽃집의 사장님을 소개시켜 주었는데 그 친구가 바로 HJ였다. 키가 큰 친구가 들어와 노래방 맞은편에 앉았다. 내 친구랑 그녀는 서로 살가운 사이 같았다. 언니, 동생하면서 같은 건물에 세 들어 사는 작은 사업자였다. 서울로 가기 전에 생화를 파는 그녀의 작은 꽃집을 들어가 봤는데 시골답지 않게 멋진 작은 인테리어가 돋보였다. 특이한 것은 은색과 검은색이 어울리는 작고 동그랗지만 모던한 타입의 벽시계도 팔고 있었다. 또 HJ는 나랑 같은 황 씨라서 친근했다.

그녀는 이후로 내가 이천에 가면 같이 어울리게 되었다. 목소리도 예쁘고 내가 청주가 고향인 후배와 같이 오피스텔에 사무실을 만들었을 때는 내 일처럼 진심으로 기뻐했다. 그 심플한 벽시계를 선물로 주기도 했다. 우리는 오빠, 동생하며 또 이런저런 속 이야기를 나누었다. 주점을 하는 동갑 친구가 바쁘면 난 친구의 꽃집에 갔다. 우리는 가족 이야기도 나누었다. 그리고 그녀의 아버지가 간암으로 투병 중인 이야기도 들었다. 폭력적인 아버지는 술 때문에 본인도 망가졌고 어머니도 폭행을 당했고 친오빠도 집을 나갔다나 하여 간 불우한 가정사를 가지고 있었다.

내 이야기를 귀담아 들어주고 걱정해주고 응원해주는 여동생이 생겨서 나도 참 기뻤다. 나도 그녀의 아픈 가정사를 알고 그녀를 위로했다. 우리는 각자가 힘든 상황이었지만 서로를 위로하고 보듬었다. 그녀 내 동생 HJ는 사실 어릴 때 소

아마비로 인해 다리를 좀 절었다. HJ의 불편한 몸이 어릴 때 어떤 주변의 편견을 불러일으키고 다른 시선을 받았는지는 미루어 짐작이 가능하다. 그러나 그녀는 참 부단히 많은 노력을 했다고 한다. 정상적으로 걷기 위해서 또 정상인들과 차이가 없다는 것을 보여주며 함께 살기 위해서. 그녀가 작은 꽃집을 하는 것을 그녀의 독립된 삶을 살아가기 위한 최대한의 노력이자 현실에 대한 몸부림이었으리라. 그런 그녀를 이성으로 느껴지기 시작한 것은 어찌 보면 불가피했을까.

내가 그녀를 동정하지 않았다 해도 그런 연민의 마음이 없지는 않았으리라. 그녀 또한 든든한 새 오빠를 알게 되어 정말이지 힘이 되는 것 같았다. HJ가 보기에 난 글을 쓰는 사람이고 영화를 하러 상경한 사람이었으리라. 자신보다 더 꿈을 향해 달려나가는 멋진 용감한 사람이었을까? 하지만 그녀는 더 앞으로 나가고 싶어도 더이상 어찌할 수 없는...

그리고 나도 정신없이 바쁘다는 핑계로 우리는 한동안 연락을 하지 못했다. 그즈음 대전에서 붕어빵 노점으로 모은 돈을 투자했는데 막혀서 쓸 수 없었던 돈이 해결이 되었다. 그리고 대방동 골목 끝자락의 옥탑방을 구했다는 소식을 전했다. HJ도 가게를 장사가 안되는 건물 복도를 막은 작은 꽃가게를 정리한다는 이야기를 들었다. 그 옥탑방이 보증금 500에 10만 원이었나. 여하튼 그녀를 만나러 갔는데 그녀의 웃음이 정말이지 그때 왜 그렇게 이쁘고 처연했는지. 한동안 나도 나의 마음을 정리하고자 노력했다. 그녀를 과연 내가 책임질 수 있을까. 난 정말 그녀를 사랑했었나.

사실 가수 이문세의 노래는 다 좋아했다. 어느 한 곡 정말 거를 타선이 없었다. 난 이문세의 노래를 전축 LP판으로 들었다. 많은 이문세의 노래를 만든 이영훈 작가의 묘소는 분당 메모리얼 파크에서 우연히 발견했다. 정말 가요의 마스터이신 분이 너무 일찍 하늘의 별이 되었다. HJ와의 짧은 인연이 생각나면 이 노래가 생각이 난다. 늘 내 앞에서 평소보다 더 밝게 미소를 지었던 아니 그러려고 노력했던 얼굴. 한쪽 다리가 불편해 큰 키에 긴 머리를 늘어뜨리고 느리게 걸었던 그녀의 모습. 내가 노래방에서 부르던 노래에 감동하고 내 이야기, 푸념에 그저 고개를 끄덕여주었던 동생. 친동생이었다면 오히려 섭섭하고 그저 아는 여동생으로 있어서 아쉬워하고 안타까워했던 HJ. 이제 돌아보니 나는 그녀를 그리워하고 조금은 사랑하지 않았을까.

 낙엽이 지고 찬 바람이 불던 주말 오후. 창고 겸 서재로 쓰던 나의 보물 책장의 먼지 쓴 파일을 정리했다. 그때 툭 떨어진 편지하나. 바로 HJ의 편지였다. 20년이 지나 다시 발견된 HJ의 친필 편지였다. 새록새록 기억나는 추억들. 그녀와 따로 마음 편히 데이트를 하지도 못했다. 좀 더 다가가지 못한 나의 안일함과 우유부단함에 화가 나고 미안하다. 그리고 그녀 앞에서 힘들어서 내쉬었던 한숨도 부끄럽다. 오히려 내가 더 동생처럼 더 슬픔에 어려움에 귀 기울여야 했다. 힘들다는 핑계로 그녀의 속마음을 외면했는지 모르겠다.

 지금 HJ는 잘 살고 있는지 궁금하다. 그녀도 오빠의 소식이 궁금하기는 할까? 우리는 서로 힘들 때 알게 되었고 더 좋은 시기에 다다르지 못했다. 그래서 슬프고 또 아련하다.

그녀의 웃음소리 빛나는 미소와 함께 손잡고 걸어봤으면 다시 우리는 이 세상을 떠나기 전에 꼭 만나 손잡고 걸어보고 싶다. 이젠 빛이 바래서 검은 빛을 띠고 삭은 종이에 적힌 HJ의 편지를 옮겨본다. 어디서든 누구와 있든 건강하고 편안함에 이르길 바란다. 그때 우리가 서로를 응원하고 마음의 소리를 전달했던 것처럼 말이다.

보고 싶고 그리운 HJ야! 그때는 정말 너무 고맙고 감사했다. 너도 힘든데 나를 위로해주어서. 너의 이야기를 들어주었어야 하는 데 힘든 내 이야기만 했던 난 정말 모자란 사람이었던 것 같아. 지금 나이가 들어보니 더 그런 생각이 들고 미안하다. 네 편지를 잃어버리지 않고 보관했던 나의 마음을 이제는 알겠니? 나도 널 오랫동안 그리워하고 잊지 않았어. 시간이 벌써 20년이 훌쩍 지나서 우리도 중년의 나이가 되었는데 어디서 무얼 하고 있는지 궁금하다. 잘 있겠지? 잘 지내고 우리 다시 언제 만날 날을 기대할게. 그때까지 안녕...

여기 그녀 나를 끔찍이 아껴주고 걱정해주었던 사람의 따스한 흔적을 찾아 다시 노래와 함께 되새겨 본다. 이제는 빛이 바래서 누렇게 된 종이 위에 남은 그리움과 사랑. 이루어질 수 없는 사랑의 아쉬움과 서로를 위한 응원이 담긴 HJ의 편지의 내용을 옮겨본다. 그것은 결국 그녀 자신의 마음을 다잡기 위한 다짐이기도 했으리라.

오빠! 새로운 집으로 입주 축하해요.

작은 옥탑방이긴 하지만 오빠의 꿈을 이룰 수 있는
공간이라 소중하게 생각되네요.
오빠, 이제 한숨 쉬지 말고 열심히 일하세요.
내 앞길도 제대로 못 가는 사람이 이런 얘기해서 미안해요.
건강, 건강할 때 지키구. 서울 하늘 아래 새로운 낯선
곳에서 많이 힘들지 않았음 좋겠구.
좋은 작품 많이 쓰고... 늘 기도할께요. 어느 곳에서든
오빠도 늘 저에게 잘 될 거라고 격려해주니까
잘 해 나갈거예요.
힘들 때도 있으면 웃을 날도 있죠.
그동안 그렇게 반복된 삶을 살지 않았어요? 우리 모두?
지금 이 시기 가만히 보니까 오빠도 저도
조금은 힘든 시기인가 봐요.
주저 앉고, 포기하기엔 아직 이른 나이가 아닌가 싶어요.
최선을 다해서 열심히 노력해보겠다고
나 자신과 다짐을 해봅니다.
오빠!
그곳에서 따스한 햇볕이 들어오고 시원한 바람이 오고 가는
그 작은 방에서 좋은 일들이 일어났으면 해요.
토요일 한가로운 오후.
오빠가 온다기에 잠깐 펜을 굴려봤는데
글솜씨가 워낙 없다 보니 이해하세요. 행복하세요.
HJ 드림.
2002. 2. 16

제32화 사랑과 우정 사이
- 피노키오 -

　군에서 제대를 하고 복학을 하기 전에 6개월의 시간이 있었는데 그때 난 어머니가 일하는 소와 돼지를 잡는 도살장에서 일했다. 진짜 사회생활의 경험을 처음으로 그곳에서 겨울에서부터 봄까지 했다. 그리고 1991년 가을 1학년 2학기로 복학생이 되었다. 난 일찍 군대에 자원해서 다녀와서 그래도 젊었다. 나름대로 어른이 된 것 같았지만 아직 꿈많은 대학 신입생의 시절로 돌아간 것 같아 꿈같은 나날이었다. 여학생들이 많은 과의 특성상 커플이 아님에도 늘 설레고 기분이 묘했다. 예비역이라는 타이틀을 가져서 학교생활을 처음으로 재밌게 했던 기억이 난다. 그리고 그때 좋아했던 노래가 바로 피노키오의 '사랑과 우정 사이'란 노래다.

　쉬운 멜로디에 감성적인 가사가 친구인 듯 친구 아닌 연인인 듯 연인 아닌 그런 애매한 남녀의 관계를 표현한 노래였지만 결국의 사랑의 아픔을 이야기한 노래가 아닐까 싶다. 자극적이지 않은 이런 사랑과 이별을 지금의 젊은 소위 말하는 MZ 세대는 이해를 할 수 있을까? 그런 생각이 바로 꼰대의 생각이라는 것을 자각할 수도 있겠지만 말이다. 각설하고 이 노래가 특히 기억에 남는 것은 이 노래를 방송국에 가서 DJ를 하면서 선곡하며 소개를 해주었던 노래였기 때문이다. 당시 90년대 초 대전 MBC 문화방송국 라디오 프로그램에 밤 10시부터 12시까지 하는 방송이 있었다. 젊은이들을 위한 FM 방송이었다. 그때 1주일에 한 번씩 30여 분을 할애해 디제이 역할을 하는 '신인 DJ'라는 코너가 있었다.

청취자의 사연을 듣고 선정해서 방송국에 초대해 녹음을 하고 노래들 틀어주는 내용이었다. 나는 라디오를 좋아했다. 텔레비전은 명화극장이나 주말의 명화를 좋아했고. 주말 드라마도 좋아했다. 라디오는 바로 옆에서 속삭이는 느낌이 들었다. 귓속말도 하는 당시는 아나로그 시대였다. 나도 편지를 써서 자기 소개서를 보내고 선정이 되었다는 연락을 받았다. 곡을 3개를 선정하라고 해서 가요는 이 노래 '사랑과 우정 사이'를 선곡하고 불문과 학생이니 감성적인 엘자라는 여자 가수의 샹송 한 곡과 영화 주제가로 쓰인 경쾌한 리키 엔 포베리의 깐소네를 골라서 선곡했다. 모두 내가 진짜 좋아하는 노래였다.

방송국에 가서 녹음 스튜디오에 들어갔다. 떨리는 마음으로 녹음을 했다. 간단한 인사를 하고 첫 곡 '사랑과 우정사이'를 간단히 소개했다. 그런데 첫 소개부터 발음이 조금 샜다. 긴장하지 말자고 많이 다짐을 했건만 긴장해서 혀가 많이 꼬였기 때문이다. 다음부터는 그런대로 말하듯 이야기하고 괜찮았다. 두 곡이 소개되고 원래 여성 DJ와 대화를 했는데 그 내용이 아직 생생하다. "처음일텐테 많이 긴장하지 않으셨나요?" "네, 아니요. 조금 떨...떨렸는데 그래도 청취자 여러분들의 애정과 관심이 이 스튜디오에 가득한 것 같아서 좋았습니다" 아으, 닭살. 여하튼 마지막으로 세 번째 노래 샹송까지 틀어주고 정신없이 무사히 녹음을 마쳤다.

방송국의 녹음실은 처음이었고 그보다 방송국 안에 들어가게 된 것도 너무 기쁘고 신기했다. 출연 기념으로 작은 선물도 받았던 것 같다. 여하튼 즐겁고 특별하고 재미있는 경험을 했다. 지금은 잘 기억이 안 나지만 방송이 되는 시간을 얼마나 기다렸고 주위에 알렸을까. 그리고 자신의 목소리가 방송을 통해 나오는 시간을 라디오 앞에서 기다리는 시간은 정말이지 얼마나 설레고 또 지루하고 떨렸을까. 여하튼 내 20대 초반을 관통하고 아직도 풋풋한 이 노래를 나는 사랑한다. 당시 짝사랑하던 후배도 있어서 그럴까 가상의 연인을 생각하며 애절하고 또 담담하게 이 노래를 노래방에서 불렀던 기억이 생생하다. 앞으로도 이 노래는 영원히 내가 사랑하는 애창곡이 되리라.

다시 노래로 돌아가면 정말 격이 없이 친하게 지내는 이성 친구와의 관계에서 잠깐 이것이 사랑일까 우정일까 고민에 빠진다고 생각해보자. 사랑과 우정 중 하나를 선택한다면 사이는 정말 애매하면서도 복잡한 심정이 되지 않을까 싶다. 사랑도 잃지 않고 우정도 잃지 않으려면 과연 어떤 관계로의 전환이 필요할까. 일단 소심한 나는 아무런 고백도 하지 못했을 거 같은데. 노래는 감미롭고 담담한 어조로 자신이 떠난다는 설정을 말하고 있다.

제33화 일과 이분의 일

- 투투 -

어떤 노래는 노래와 함께 특유의 춤이 생각나기도 한다. 90년대 초반에 등장환 '투투'라는 4인조 혼성 그룹의 데뷔곡 '일과 이분의 일'이라는 노래를 참 좋아했다. 즐겨 불렀다. 이 노래는 방송에서 처음 보았을 때 정말 신기하고 재미있었다. 이 노래는 뮤직비디오를 보기에도 즐겁고 흥겨운 노래였다. 둥짝 거리는 타악기 소리가 짧게 들리고 이어서 경쾌한 기타 선율이 나온다. 리드보컬 김지훈의 하이톤의 노래가 시작된다. 그런데 옆에 선 숏컷의 동그랗고 작은 멤버 황혜영이 무표정한 심드렁한 표정으로 팔을 휘저으면 추는 춤을 추고 등장한다. 뒤에 남자 멤버 둘은 키타와 키보드를 연주한다. 이들의 옷차림도 다양한 천 조각을 엮은 듯한 모습이 예사롭지 않다. 4명의 개성 있는 모습이 눈에 띄었다.

신세대의 사랑법을 그렸다는 사회장의 멘트와 함께 당시 가요프로그램에 많이 소개되고 인기를 끌었던 노래 '일과 이분의 일'은 정말 신나고 경쾌한 노래라 나도 즐겨 부르던 노래다. 이 노래를 좋아할 때는 내가 이제 복학 후 다시 휴학을 했을 때였다. 학교에 대한 실망과 나에 대한 실망으로 열정적으로 다시 학교생활을 하고자 했지만 뜻대로 되지 않았다. 사람에 대한 원망이 컸지만 돌아보니 속 좁고 타협할줄 모르는 나의 잘못도 적지 않은 것 같다. 대학을 다시 휴학하고 다시는 대학에 돌아가지 않았다 어쩔 수 없었다. 여하튼 그때 그 심란했던 마음을 잊게 만든 노래가 바로 이 노래다. 투투의 신나는 음악과 황혜영이란 가수의 춤이 해독제였다.

그리고 정신없이 난 또 일하고 학교 시절을 지우기 시작했다. 영화모임을 만들고 그 재미에 빠져들었다. 그리고 그 모임이 또 힘들어지던 시기에 사무실을 빼서 극단에 들어가게 되었다. 연기를 좀 배우고 하면 나중에 영화를 만들 때 도움이 될 거 같았다. 그 시기에 그러니까 유행이 좀 지난 시기에 다시 이 노래가 소환된 이유가 있었다. 바로 극단 앞에 페밀리 마트라는 큰 편의점이 개업했다. 우리 극단은 지하에 세를 들었는데 바로 맞은편 상가주택의 1층에 들어선 편의점의 점주 사장이 바로 투투의 황혜영을 빼닮은 것이다.

바로 앞의 편의점이라 종종 이용했는데 난 그 가수가 개업을 한 줄 알았다. 정말 요즘 말로 싱크로율 100%였다. 이야기를 나누어보니 안 그래도 그런 이야기를 많이 들었단다. 반대로 함께 가게를 운영한 남편은 키가 크고 많이 마른 체구의 사람이었다. 키가 작고 눈이 동그랗고 큰 사장의 부인이 바로 투투의 황혜영과 판박이라니 참 재미있었다. 그렇게 다시 투투의 '일과 이분의 일'이 귓가에 퍼졌다. 여하튼 그렇게 친하게 지내게 되었고 거기서 단편영화의 한 장면을 찍기도 하였다. 거기에서 알바를 하는 여학생도 잠시 출연도 시켰다. 그래서 가깝게 지냈는데 지금은 어떻게 살까.

그런데 이후 '그대 눈물까지도'란 멋진 노래를 만들고 부른 김지훈이라는 가수가 우울증으로 자살을 하고 만다. 그게 벌써 11년 전의 일이다. 정말 안타까운 일이다. 투투의 '일과 이분의 일'은 언제나 다시 들어도 여전히 즐겁고 흥겹다. 역시 좋은 노래는 시대에 상관없이 소환되어 즐거움과 기쁨을 주는 노래라는 사실은 변하지 않는다.

제34화 애송이의 사랑

- 양 파 -

양파의 이 노래는 90년대 후반을 관통하는 노래다. 이 정말 노래는 듣자마자 좋아하게 된 노래다. 목소리도 파워풀하고 내가 좋아하는 스타일의 여성의 목소리 같았다. 애절하고 간정하고 리듬도 좋았다. 이 때의 나는 무엇을 하였는가? 나는 이 노래를 즐겨 들었을 때 '시네마테크 컬트'라는 영화단체의 사무실을 운영하던 때였다. 93년 8월 영화잡지 월간 스크린의 독자 게시판을 통해 관객집단 "영화세상" 모임을 시작했다. 13명으로 시작했던 모임을 이끌었던 건 '영화세상'이란 매월 발행하는 회지였다. 그리고 3년이 지나고 우연히 인연이 되어 빔 프로젝터와 작은 스크린이 있었던 씨네마떼크 컬트와 인연이 되어 그 사무실을 맡아 운영하게 된 것이다. 그동안 간헐적인 부정기적인 만남이 있었는데 이제 사무실을 이끌고 영화감상회를 하고 전국전인 네트워크와 연결이 되어 영상문화 운동을 하게 된 것이다.

그 당시는 음반과 비디오에 관한 법률의 개정문제가 이슈였다. 그리고 불법 복사 테잎으로 본 이와이 순지 감독의 일본영화 <러브 레터>가 인기였다. 소문으로 듣던 일본영화를 조악한 화질의 비디오 테잎으로 보았는데 듣던 대로 굉장히 아름답고 서정적인 러브스토리 라인이 드러나는 매혹적인 영화였다. 시간의 교차편집도 신선했고 화면의 배경도 여태까지 보아왔던 배경과 달라 참 흥미로웠다. 무엇보다 귀여운 여주인공의 매력이 참 도드라진 영화였다. 나카야마 미호가 1인 2역으로 열연한 후지이 이즈끼. 그 청순한 단발머리의 청순함. 지금은 나이가 든 중년의 여인이 되었더라. 여하튼 이 노래가 나의 마음속에 각인된 배경은 그러했다.

하여간 부산, 대구, 서울, 전주, 광주 등 나와 같은 활동을 하는 영화단체들과 연대하는 활동을 했었다. 전국 시네마테크 연합이라는 단체를 만들기 위해 동분서주했다. 낡은 중고 베스타 승합차를 사서 끌고 다니며 전국을 순회했다. 돈을 버는 일도 아니었지만 열악한 문화 특히 영상문화의 발전을 위한 활동으로 의미가 있었고 자부심이 있었다. 그리고 무엇보다 영화를 좋아하는 사람들과 친해지고 이야기를 밤새하고 친구가 된다는 점이 너무 즐겁고 좋았다.

버스를 타면 이 노래가 라디오에서 참 많이 나와서 좋았다. 고음이라 잘 따라부르지는 못했지만 충분히 즐기고 찾아 들었다. 그리고 광주 시네마테크 '영화로 세상보기' 모임에 가서 그 노래 '애송이의 사랑'과 또 '러브 레터'에 딱 어울리는 얼굴을 가진 그쪽 모임의 친구를 만나게 되었다. 아니 발견하게 되었다. 물론 그런 설레는 마음의 고백이나 느낌을 드러내지는 못했다. 전국에서 모임 열댓 명의 친구들 역시 그런 감정을 가지지 않았나 생각한다.

'애송이의 사랑'은 그런 첫 느낌의 순수한 설레임을 표시한 노래가 아닐까 싶다. 그저 바라만 보아도 누군가가 연상이 되었는데 그 친구의 모습은 당시 좋아했던 '러브 레터'의 영화의 그 주인공을 꼭 빼닮아서 영화 속의 인물이 빠져나오지 않았나 하는 생각이 들 정도였다. 여하튼 제일 신나게 일하고 어울리고 즐거웠다. 돌아보면 내 청춘의 정말 화려했던 시절이 아니었나 싶다. 그래서 이 노래를 부른 양파를 좋아하게 되었고 그 이후의 노래도 좋아했다. 20대 후반이었지만 찐 사랑의 경험은 없는 아직 애송이였다. 사랑에 관하여서는 그때도 지금도 평생 애송이지 않을까 싶다.

　그런 수줍은 마음을 고백하는 이야기. 그래서 내가 사랑하는 노래는 완성된 사랑은 앞으로도 영원히 없지 않을까 싶다. 그리고 노래란 그런 이루어지지 않는 고백하지 못하는 마음을 전하는 역할이지 않을까 싶다. 내 청춘의 화양연화. 그래서 더 아련한 노래가 바로 양파의 <애송이의 사랑>이고 난 이 노래를 사랑한다. 즐겨 부르고 흥얼거리곤 한다. 그러면 그 20대의 혈기왕성한 시대로 돌아가 술을 적당히 기분 좋게 마시고 기분 좋게 골목길을 걷고 싶다.

제35화 내 사랑 내 곁에

- 김현식 -

1991년 가을, 다니던 대학에 1학년 2학기로 복학하고 난 비로소 대학 신입생의 기분을 만끽했다. 예비역이 되고 그 표상이 초록색 야상을 입고 예쁘고 순수한 후배들과 같이 대학 생활을 한 것이다. 나름 나도 젊은 친구들과 어울릴려고 노력을 했다. 그중에 통기타를 친 서울에서 유학을 온 남학생과 친하게 지냈다. 자취를 하거나 하숙을 하고 있었는데 학교에서 같이 밥을 먹기도 하고 학교가 파하면 그들의 자취방에 놀러가기도 했다. 서울 친구들은 다들 기타를 잘 쳤던 같았다. 그때 은영이라는 여학생이 기억이 난다. 서울의 한 친구와 과 커플로 기억이 되는데 키도 크고 성격도 서글서글하고 붙임성이 좋고 성격도 좋았다.

나도 그 친구의 웃는 모습이 좋았다. 서울 친구들과 같이 불렀던 노래가 김현식의 '내 사랑 내 곁에'라는 노래로 맥주와 새우깡을 먹으며 학교 잔디밭에서 많이 불렀었다. 이 은영이라는 친구는 당시 나이 차가 많이 나는 늦둥이 동생 사진을 보여주어서 모두가 기억하고 있었다. 20살 안쪽과 늦둥이라니 참 재밌는 소식이었다. 그 서울 과 커플은 당시 연극

동아리에 같이 가입해서 연극도 같이 했었다. 같이 노래도 하면서 그들의 이야기도 귀담아 들었다.

어느 날이었다. 우리 셋인가 넷이서 같이 이야기를 하고 난 은영이 친구와 같이 걸어가던 중이었다. 작은 핸드백을 어깨에 걸고 집으로 가는 방향이 같아 같이 천천히 해가 질 무렵에 걸어가는데 오토바이 소리가 좀 가까이 들리더니 작은 오토바이에 탄 남자 둘 중에 뒤에 탄 놈이 은영이의 핸드백을 날치기 한 것이다. 은영이는 깜짝 놀라 자리에서 얼어붙었다. 마침 퇴근 차량이 꽉 차 있어서 오토바이는 앞으로 도망가지 못하고 멈추었다. 내가 오토바이 뒤로 달려가 가방을 다시 찾기 위해 대들었다. 글자 한 놈이 내려 나와 대치했다. 그리고는 칼을 꺼내는 것이 아닌가. 다른 행인들은 모두 지켜볼 뿐이었다. 칼을 휘두르고 난 발길질을 했다.

"저리 꺼져! 가! 임마"
"뭐라고? 비켜! 그거 내놔! 군대도 안 간 것들이 까불어!"

난 군대를 다녀와야 진짜 어른이라고 생각하고 그 소매치기 놈들을 윽박지른 거다. 놈들이 내가 호락호락하지 않을 것을 알자 핸드백을 집어 던지고 신호가 바뀌자 달아났다. 난 은영이의 핸드백을 건내 주었다.

"선배 정말 고마워요" "응 괜찮아!" "다친 거 아니죠?"
"다치긴 뭘~ 짜식들이 군대도 안 간 것들이... 넌 괜찮니?"

그날 은영이의 핸드백에는 아르바이트하고 받은 돈 20만

원이라는 큰돈이 들어있었다. 하마터면 정말 큰일이 날뻔했다. 돈을 안 빼앗겨서 정말 다행이었다.

그날 집에 돌아와서 흥분이 되어서 난 잠을 쉽게 이룰 수 없었다. 나의 이런 멋진 의로운 행동이 이제 소문이 나면 내가 멋있는 영웅이 되리라 생각했기 때문이었다. 그건 자연스러운 의인의 탄생이니까. 고생 끝에 낙이 온다고 죽어라 얻어터지며 고생 끝에 군 생활을 한 보람이 있는가 싶었다. 드디어 나도 인기 있는 멋있는 복학생이 되는 거구나 하는 생각에 가슴이 부풀었다. 얼른 내일이 되었으면 하는 생각에서 쉽게 잠을 못 이루었다. 잠을 자는 둥 마는 둥 거울을 보고 학교에 나갔다. 그때 괜히 야상의 깃을 세우지 않았을까. 그리고 누가 물어보면 짐짓 모른 척하고 대수롭지 않은 척해야지 했다. 남들의 우러러봄에 정말 기대를 갖고 학교에 갔다.

그 발걸음의 설렘과 기대감은 짐작이 가리라. 그런데 학교에 갔는데 조용했다. 교양수업은 그렇다고 해도 전공 수업인 불문학 개론 시간은 91학번 애들과 같이 들었는데 은영이도 있었는데 아무런 반응이 없었다. 내 기대는 산산히 깨졌다. 아이들은 새로운 영웅의 탄생을 바라지 않았다. 기대가 크면 실망도 큰 법. 그렇게 그날의 이야기는 사라지고 말았다.

하지만 내게는 뿌듯한 남을 도운 정말 뿌듯한 이야기였다. 그때 은영이의 이후 행동에 불만은 없다. 그녀의 표정에서나 태도에서 충분히 느꼈기 때문이다. 나는 과 커플이었던 은영의 남자친구와 그리고 다른 친구들과 어울리며 여하튼 그 노래를 잘 불렀다. 후배들이 기타 반주로 꼭 빼놓지 않고 김현식의 '내 사랑 내 곁에'를 불렀다. 목이 쉰 듯한데 애절하면서도 무언가 초월하는 느낌의 그 노래는 헤어진 또는 이루어지지 않은 사랑에 관한 변함없는 애정을 보여주는 시와 같은 노래다. 이제 30년이 훌쩍 지났는데 그 노래를 함께 불렀던 친구들은 어디에서 그때처럼 열심히 부지런히 살고 있을 것이다. 또 좋은 사람을 만나 잘 살고 있으리라 확신한다

제36화 흐린 기억 속의 그대

– 현진영 –

현진영GO 진영GO! 현진영이 <흐린 기억속의 그대> 라는 노래는 잊을래야 잊을수 없는 나의 노래중의 하나다. 복학 후 빳빳대고 재미있게 다녔던 이유는 학생회의 일을 했기 때문이다. 불문과의 특성상 각종 학교 행사를 아무래도 남학생들이 준비를 많이 했다. 그중에서 매년 하는 과의 가장 큰 축제인 불문학제를 준비했다. 그 이전에 내가 학교의 응원단장 역할을 좀 했다. 군대에서 배운 군무를... 아니구나 그 군무의 안무를 내가 짜고 만들었잖아.

27사단 군무 군가 경연대회에서 우승한 실력이 나에게 있었다. 이선희의 '아름다운 강산', 이지연 '러브 포 나잇', 소방차의 '연애편지' 최성수의 '기쁜 우리 사랑은' 노래를 섞어 사용해 집총 각개술과 의장대가 하는 소총 돌리기 등 총검술 변경 또 대열의 변형을 시도해서 성공했다. 나는 그러한 고급안무 등을 내 머릿속에서 만들어 무에서 유를 창조하지 않는가. 그래서 젊고 현역 같은 예비역인 내가 불문학제에서 댄스를 하기로 했다. 당시 신인 남성 3인조가 서태지의 아이들이 '난 알아요'라는 댄스곡을 가지고 혜성처럼 데뷔해 공전의 빅 히트를 구가하던 시기였다. 그 당시는 신나는 댄스곡와 가슴을 적시는 발라드가 많이 나왔다. 90년대 중반의 그래서 우리 가요의 르네상스 시기가 아니었나 하는 생각이 지금도 든다. KBS의 임성훈 MC가 진행하는 '가요 TOP 10'이란 순위 프로그램 즐겨 보는 프로였다.

당시 대전 지역의 대학 불문과 연합 체육대회 때 내가 남자 신입생 후배들에게 '연애편지'를 틀어놓고 군대에서 만든 춤을 추었었다. 누구도 안 했던 시도였기에 인기를 끌었다. 가을 불문학 축제 행사 때 그 춤을 주제로 무대를 한번 만들어 보자 하고 연결이 된 것이다. 당시 또 인기를 끈 것이 현진영이라는 가수였다. 힙합이라는 장르도 신선했고 폭발적인 댄스가 참 재미있었다. 역시나 책을 보며 머리를 굴리는 것도 아니고 춤을 춘다는 것은 땀을 흘리는 것이다.

그래서 신나고 폭발적인 힘이 느껴지는 현진영의 '흐린 기억 속의 그대'를 지금 말로 커버댄스를 춘 것이다. 학교 빈 강의실에서 테이프를 틀어 놓고 특징인 후드티를 입고 절도 있고 신나게 흔들었다. 마지막 동작은 두 팔을 벌리고 고개를 숙이며 다리 찢기까지. 음악을 틀어놓고 하는 춤이기에 노래를 부를 필요가 없지만 가사와 리듬 숙지는 기본이었다. 옷에 땀이 흠뻑 젖어들었다. 연애편지 춤을 가르쳤던 남자 후배 2명과 춤을 추었고 센터는 당연히 리더인 나였다.

무슨 일이든지 과정이 즐거워야 한다. 춤 추는 것이 군대 때 보다는 즐거웠다. 다른 샹송을 부르는 후배들, 시 낭송을 하는 친구들보다 우리 팀은 더 활력 있고 무대를 다 휘저으며 써야 했으니. 팀이름은 내가 재미있게 지었다. '야간분만' 밤에 간판 불이 켜진 것을 보았다. 당시만 해도 조산소가 동네 곳곳에 간간이 눈에 보였다. 밤에 새 생명이 태어난다는 의미처럼 밤새 노력을 해서 새로운 결과 멋진 결과가 나온다는 재밌는 발상이었다.

그런데 지금 좀 미안한 것이 팀원을 모은다는 공지를 했는데 여학생 후배가 지원을 했는데 참여를 완곡히 막은 것이 마음에 걸린다. 여학생도 Z같이 팀을 이루면 더 좋았는데 생각이 좀 짧았다. 여하튼 여름방학에 땀을 흘리며 다른 샹숑팀, 연극팀, 밴드 연주팀 등과 연습을 했다. 불문학제 팜플렛에는 불어로 쓴 제목을 올리고 춤을 춘 기억이 선명하다. 많은 과 학생들이 바라보는 앞에서 춤 실력을 뽐내며 땀을 흘리고 춤을 추는 모습을 상상해보라. 각 잡힌 춤을열정적으로 추었으니 정말 신나고 자랑스러웠다.

그 노래는 또 얼마나 많이 불렀겠는가. 요즘 다시 현진영이라는 가수가 예능 프로그램에 나와서 반갑다. 보니 나와 비슷한 또래였다.. 내 젊음의 한 때를 수놓았던 노래 현진영의 '흐린 기억속의 그대'도 잊을 수 없는 노래다.

제37화 귀거래사

- 김 신 우 -

걷기 모임인 뚜벅이의 길에 참여하여 일상 속의 걷기를 친구들과 함께 즐긴 지도 이제 20년이 훌쩍 지났다. 시간이 참 빠르다. 뚜벅이의 길은 나중에 내가 호주에 10개월을 다녀와서 다시 모임 지기가 되었을 때 '세상 걷기'라는 이름으로 개명을 했다. 여하튼 걷기 모임을 할 때 내가 좋아했던 노래가 바로 이 김신우의 '귀거래사'란 노래다. 경쾌한 전주와 하모니카 음이 인상적인 노래다. 우연히 듣고는 바로 애창곡이 되었다. 그 이유는 바로 보헤미안처럼 방랑자 나그네처럼 살았던 내 삶의 궤적을 닮은 가사 내용 때문이 아니었을까.

돈과 명예를 쫓으려 하지 않고 나이 서른 중반이 되도록 잡히지 않는 영화라는 것을 하려고 기웃거렸으니까. 사실 온전히 영화에 집중하고 목숨을 걸지는 못했다. 그러니 상업영화 그러니까 프로의 세계에서 작업을 하지도 못했다. 겨우 단편영화 10여 편의 단편영화 작업들. 그 언저리에서 기웃기웃 솔직히 말하면 빈둥거렸고 집중을 하지 못해서 영화로는 실패한 인생이었다. 그래서 잠시 한눈을 팔다가 찾은 모임이 바로 돈이 안 드는 걷기 모임이었다. 돈 만 원의 식비만 있으면 되는 모임. 그 모임에 직장을 안 다니니까 밥값이 없어서 선배나 지금 절친인 훈이라는 친구의 도움을 많이 받았다. 그렇게 서울 구석구석 외곽 곳곳을 걸으면서 나름대로 쌓인 스트레스를 풀지 않았나 싶다. 바람 따라 구름 따라 발길 닿는 대로. 이 노래는 정말 당시 직장도 없고 뜬구름이란 영화라는 꿈을 꾸는 상경한 노총각을 위한 노래가 아닌가 싶을 정도로 마음에 들었다. 한번은 수원 화성 성곽길을 모임 사람들과 걸었다. 그날 걷기 모임을 이끈 후 열 몇 명과 점심을 먹으러 갔는데 그때 뭐 예약이 있었나 뭐가 있었나.

난 준비성이 약하다. 임기응변이 많은 편이다. 화서문 뒤쪽인가 기웃거렸다. 걷기 모임 사람들이 뒤에서 따라오고 어디로 가야 하나 고민이 많았다. 빨리 찾아야 하는데 걱정이 차올랐다. 뒤통수가 따가울 때 단비같이 어느 칼국수 식당이 보였다. 자리도 널찍하고 영업을 하는 집이었다. 그 가게로 우리 뚜벅이 회원들을 안내했다. 방이 있어서 방으로 들어갔다. 따끈한 칼국수는 언제나 내가 좋아하는 메뉴였다. 가격도 착했다. 그런데 그때 그 식당에 커다란 화면과 바퀴가 달린 노래방 기계가 있었다. 식사 후 자판기 커피를 먹고 이야기를 했는데 사장님한테 허락을 얻었다.

노래에 자신이 있었던 것은 원래 자주 흥얼거렸던 노래였기 때문이다. 나름 맑고 청아한 목소리로 노래를 내가 봐도 멋들어지게 불렀다. 자신감이 뿜어져 나왔다. 정말이지 세상을 사는 보통의 질서와 규율을 따르지 않는 자유로운 영혼을 강조하는 바로 내 주제곡 같은 노래였다. 그렇게 이 노래는 나의 노래였고 나의 삶 그 자체와 같은 노래라 좋아한다.

제38화 처음 느낌 그대로
- 이 소 라 -

　도봉산역에서 내려 큰길을 건너 도봉산 아래로 10여 분 정도 올라가면 나오는 한약방이 있고 그 안쪽으로 단독주택이 있다. 그 주택의 마당을 가로질러 들어가 반지하에 방을 구한 이유가 있었다. 일단 월세가 싸서 좋았다. 대방동 옥탑방의 보증금 500만 원을 까먹어서였다. 옥탑방의 보증금을 빼서 영화를 만든다고 컴퓨터를 사는데 150만 원 정도가 들었다. 편집 프로그램도 깐다고 워크샵 후배한테 부탁해 용산에서 사 온 조립 컴퓨터였다. 그리고 이래저래 하여간 모두 제하고 나니 돈이 남은 게 없었다. 그래서 보증금이 싼 곳을 찾았다. 원래 변두리로 가면 싸다는 것은 누구나 아는 사실이었다. 의정부 쪽으로 갈까 생각한 것은 그때 누나가 양주에 살고 있어서 거기를 잡았다. 그런데 의정부는 서울에 오려면 좀 멀었다.

　그래서 서울과 제일 가까운 변두리를 찾았고 거기가 도봉산역이었다. 한약방을 하는 어르신께서 인상이 좋아 보였다. 보증금이 100만 원이었나 그리고 월세가 15만 원이었지 아마. 단독주택인 주인집 지하 방이고 다른 방도 어떤 남자분이 살고 계셨다. 여기도 특이한 게 화장실이 지하 쪽에 있는데 주인집 계단 아래에 만든 곳이라 허리를 숙이고 들어가야 하는 기울어진 좁은 곳이었다. 그래도 내 형편에 그게 어딘가 싶었다. 그래도 방은 옥탑방보다는 컸다. 어둠컴컴하고 습했다. 반 정도 나온 창이 있었는데 가끔 햇빛이 들어오기도 했다. 그날은 정말 감사한 날이었다. 여기서 이제 정말 내 영화를 만들기로 했지만 그게 또 생활에 치이다 보니 그렇게 하질 못했다. 월세를 내고 핸드폰 요금을 내고 식비를 벌기 위해 일해야 했다. 배운 게 도둑질이라고 근처를 돌아다니다 이삿짐센터를 방문했다.

이삿짐일 경험이 있다고 하고 일을 나갔다. 여기도 웃긴 게 사장과 실장이 부부였는데 이혼한 상태였다. 같이 일하면서 알게 되었는데 관계가 참 독특했다. 여전히 그렇게 일을 나가고 단편영화 작업을 궁리하고 또 걷기 모임에 나가는게 유일한 즐거움이었다. 집에 텔레비전은 없었다. 라디오를 들었다. 그때 이소라가 진행하는 프로가 있다. 늦은 밤에 진행하는 '이소라 프로포즈'라는 심야 음악 프로그램이었다. 의 노래가 기억이 난다. 담담하게 끌고 나가는 그녀의 노래는 고백하듯 마음을 울리는 노래였다. 게스트로 나오는 사람들의 이야기. 연애 이야기 등 아기자기하고 재미있는 대화와 노래가 나왔던 기억이 있다. 다시 듣기로 그때 근처 어린이 공원에서 들으며 웃었던 기억이 난다.

그녀의 히트곡 '처음 느낌 그대로'는 자기 고백적인 느린 노래인데 은근히 난 이 노래가 좋아졌다. 이 노래로 이소라라는 가수가 더 좋아졌다. 옥탑방에서 바닥으로 다시 내려온 나는 진전이 없는 생활을 하고 있었다. 초심을 잃어버렸다고 하는 게 정확할 것 같다. 관성적인 삶을 살아가고 있었다. 서울에 올라갔는데 뭐 보여준 게 없었다. 그만큼 절실하지 않았고 집요하지도 못했다. 한마디로 집중력이 부족했다. '뚜벅이의 길'이란 걷기 모임에 나가 관계를 유지하며 그나마 만족을 하고 있었다. 글을 쓰겠다는 시나리오를 쓰겠다는 허황된 욕심을 뜬구름 붙잡듯 잡고만 있었으니까. 비관적이면 안 되었지만 어쩔 수 없이 비관적으로 될 수밖에 없었다. 과연 출구는 있을까? 그런 우울한 마음을 잘 표현한 노래로 이 노래를 그저 나 혼자만 그때의 심정을 잘 표현하는 노래로 나지막이 부르곤 했다. 밝은 노래가 주는 긍정적 기운이 아닌 가라앉고 침잠하는 기분을 표현하는 노래. 그래도 세상에 홀로=라는 느낌을 받아도 난 처음을 초심을 잃지 않고 또 잊지 않겠다고 다짐하는 느낌도 들었다.

제39화 나를 외치다

- 마 야 -

한국 나이로 41살에 어렵게 3살 아래의 여자와 결혼을 하긴 했다. 찜질방에서 2년을 살았던 남자와 한국에 와서 태권도 체육관 매트에서 잠을 자며 살았던 여자다. 대만에서 데려온 두 제자와 태권도를 가르치고 배웠던 대만의 태권도 사범의 여자랑. 가진 게 쥐뿔도 없었던 시절 그래도 정의하자면 사랑과 믿음이 있기에 가능했다. 솔직히 말하면 두 사람 모두 고생을 해봐서 어떤 경우라도 지치거나 포기하지 않을 거란 어떤 단단함이 있어서 두 사람이 한 이불을 덮기 시작한 것이다. 집사람에게 내가 사는 분당선 지하철역 수내역 2번 출구 뒤편의 월드컵 사우나에 데려가서 여기가 참 너른 우리 집이라고 말했던 때가 생각이 난다. 이 노래 마야의 '나를 외치다'는 새로운 밀레니엄 세대의 첫 10년의 후반기를 관통하는 내 개인의 삶의 노래라고 말할 수 있겠다.

그녀가 대만으로 돌아가기 전 원룸을 하나 구했다. 모자라는 돈은 빌렸다. 그리고 이듬해 그녀가 들어와서는 그녀의 도움으로 투룸 전셋집을 구했다. 일의 특성상 야근이 많았고 한 달에 두 번밖에 쉬지 못했다. 지금 보면 참 서글픈 일상이었다. 마트에도 늦은 시간에 가서 세일 품목을 몇 개만 사서 돌아왔다. 카트를 끌고 다니는 사람이 부러웠던 시절이었다. 급여는 대출금을 갚고 고향 부모님에게 용돈을 보내고 우리 부부가 쓸 용돈을 늘 부족했다. 그래서 대전의 부모님께 보내는 돈을 좀 줄이자고 했지만 아내는 나이 드신 어른들이 힘드니 우리가 좀 덜 쓰면 된다고 해서 날 감동시켰다.

그때 이 노래를 알게 된 것은 우연히 어느 행사장에서였다. 일을 하면서 한 달에 두 번 격주 일요일만 쉬는 여윤가 없는 빠듯한 생활. 언젠가 집사람이 여행 가방을 싸고 이렇게는 더이상 못산다는 말을 했었다. 지금도 그때 생각만 하면 미안하고 가슴이 아프다. 여하튼 신혼 초 내가 살던 분당구에서 지역 케이블 방송과 걷기 대회를 했다. 걷기 대회 후 분당구청 앞 잔디광장에서 음악공연을 했다. 자전거, 냉장고, 세탁기 등 경품 증정이 있어서 내가 가보자고 집사람을 꼬드겼다. 해가 질 무렵 출발지에 돌아와 가수들의 공연을 보았다. 그중에 한 명이 마야였다.

신나고 경쾌한 '진달래꽃'을 부른 이후에 부른 노래가 바로 이 곡 '나를 외치다' 다른 참여자들은 따라 부기도 많이 했는데 인기곡이었나보다. 서서히 고조되는 리듬도 좋았지만 가사가 정말 와닿았다. 좋아서 결혼했지만 인생은 실전이 아니었던가. 고통을 참고 견디면 언젠가 좋은 날이 오고 만다는 이야기. 그 이야기의 가사가 참 와닿았다. 그날 비록 경품을 마련해 생활에 보탬이 되려는 계획은 어긋났지만 좋은 노래 한 곡을 알게 된 수확이 있었다. 그 이후로 아내와 함께 집에서도 나중에 차를 사서 여행을 갈 때도 이 노래 '나를 외치다'를 목청껏 같이 부르고 위안을 받았다. 힘들 시절을 겪을 때 정말이지 힘이 되었던 노래로 애착하는 노래다.

그렇게 힘들고 어려운 날을 묵묵히 참고 또 버티다보니 그나마 사람 구실을 하고 결혼 생활을 유지해오지 않았나 싶다. 오늘날 그래도 집도 장만하고 이제는 여행도 마음대로 갈 수 있으니 나름대로 행복한 생활을 하고 있지 않나 하는 생각이 든다. 고맙고 힘이 되었던 노래가 바로 마야의 '나를 외치다'란 노래다. 노래 가사처럼 '약해지면 안 된다 또 나의 길을 가면' 묵묵히 가면 언젠가 꼭 해답이 나오고 잘 될 것이다는 희망과 답을 구한 노래였다.

제40화 헤븐
- 김 현 성 -

　어떤 노래는 노래가 발표되고 인기곡이 되고 또 잊혀졌다
가 또 다시 소환되어 한참 나중에 인기를 끌기도 한다. 그
시대의 감성에서 소구되는 노래는 또 다시 세대를 달리해서
대중의 인기를 끌거나 개인과 사회의 서사와 맞물려 소환되
어 인기를 끌고 사랑을 받게 된다. 이 노래 김현성이라는 가
수의 노래는 노래가 발표되었던 2000년대 초반인가 인기곡
이었다. 그런데 나는 이 노래를 분명히 들었을텐데 잘 기억
을 못했다. 그러다 재작년인가 '싱어게인' 방송 프로그램을
통해서 정확히는 유튜브 재방송을 통해서 알게 되었다.

　이름 없는 무명가수들이 나와서 먼저 노래를 부르고 나중
에 자기의 이름과 이야기를 한다는 내용이다. 그때 본 가수
가 김현성이 부른 노래 <헤븐>이었다. 어딘가 의기소침하고
왜소해 보였고 마이크를 잡은 손도 좀 불안해 보이는 정체를
모르는 남자. 그의 노래가 시작되는 순간 갑자기 내 눈에도
눈물이 고였다. 눈물이 그렁그렁해진 것이다. 생각해보니 내
나이는 어느덧 50대 중반으로 달려가는 나이가 아니었던가.

　나에게도 사랑의 감정이 남아있던가. 나에게도 미련이

남아있었나 보다. 어설픈 사랑이었다 돌아보면 나이 사랑은 서툴고 낯설고 미약하고 또 대책 없는 좌충우돌의 사랑이었다. 한마디로 사랑이라고 하기에도 웃픈. 이 남자의 호소력 있는 목소리는 노래의 가사와 함께 내 마음속에 큰 울림과 생채기를 내주기에 충분했다. 내 바보 같은 책임지지 않는 사랑에 상처받은 사람이 생각이 나니 그것 또한 나도 주저할수 없는 슬픔의 감정으로 빠지게 되었다. 누군가의 잘못으로 사랑이 이루어지지 않았다면 그것은 온전히 나의 잘못이란 것을 이제야 너무 늦게 깨닫게 되었다. 나름대로 머리를 굴린다고 했지만 그것은 미련하고 바보 같은 선택이었다. 정말이지 나는 나쁜 놈이었다. 그리고 이제 대상에게 사과하고 잘못을 비는 듯한 뼈아픈 후회와 미안함. 이 노래에 그 감정이 녹여져 있었다.

당시에 큰 인기를 끌었다는데 찾아보니 2002년에 발표된 노래였다. 그때 정말 시원한 가창력과 고음으로 김현성이라는 가수는 앳된 외모와 큰 인기를 끌고 정말 바쁘게 가수 생활을 했단다. 정신없이 노래를 부르다가 성대가 손상되는 큰 부상을 입고 상심을 하고 자신감을 잃게 되었다고 한다. 그리고 다시 용기를 내어 노래를 부르러 나왔다고 하는 그 가수 김현성의 진심 어린 고백에 심사위원의 눈물도 참 나를 슬프게 만들었다. 이제 처음으로 그때로 돌아갈 수 없지만 그날의 소회와 앞으로 잘 되었으면 하는 마음이 담긴 가사가 정말이지 가슴에 절절히 와닿았다.

그래서 이 가수의 노래를 많이 찾아들었다. 다시 들으면서 그 당시를 돌아보았다. 2002년 이면 서울에 상경해서 힘들게 이삿짐센터, 막노동을 하면서 살던 때였다. 그리고 어렵게 영등포 대방동 고지대 원형 철계단을 올라가 들어가는 옥탑방에 월셋방을 구했던 때였다. 유행가를 듣고 여유를 부리던 때가 아니었다. 독립영화 워크숍을 마치고 단편 작업을 돕던 때였다. 그때의 아련한 마음이 다시 솜털처럼 일어났고 영화 세상을 하면서 사랑을 했던 친구들이 생각이 났다. 그리고 그 사랑이 이루어지지 못해서 또 사랑한다고 했으나 책임지지 못한 마음이 복합적으로 일어났다. 그래서 참회록처럼 들린 이 노래에 난 작년 한 해 동안 빠져들고 말았다.

그건 이 노래를 부른 가수의 나이든 부침이 심한 모습과 중첩되어 연민이 일어나기도 했다. 나 자신에 대한 연민과 동정, 타인에 대한 미안함, 자책감 등 그런 모든 심정이 이 노래 '헤븐'에 잘 나타나 있다. "왜 이제 왔나요 더 야윈 그대" 더 잘 되지 못한 모습으로 나타난 사람... 그 사람으로 두 번을 살게 하다니... 가사 하나가 정말 왜 이리 아련하고 슬픈지 몇 번을 들어도 눈물이 났다. 이 노래는 나이 쉰이 넘어 다시 발견하고 감정이 이입되었다. 그리고 정말로 사랑하게 된 노래가 되었다. 아마도 지난 시절의 뉘우침에 대한 마음의 표현이 아닐까 싶다.

제41화 사랑은 기다림으로

- 이 상 훈 -

아무래도 내가 제일 좋아하는 노래는 제일 마지막에 나와야 멋지지 않을까 싶다. 이 노래도 이야기하고 싶고 저 노래도 이야기 것리가 있는데 진짜로 목차를 보고 수정을 하다 보니 빼먹은 노래가 있었다. 바로 지금은 활동을 안 하는 가수 이상훈의 '사랑은 기다림으로'라는 노래다. 지금 검색을 해보니 내랑 동갑인가 한 살 아래 70년생인가. 전주가 나오자마자 난 이 노래와 사랑에 빠지게 되었다. 역시 해피엔딩이나 경쾌한 노래는 아니다. 애절한 발라드 노래인데 사랑하는 연인도 없었으면서 이 노래가 좋았다.

가수 역시 미성에다가 앳된 외모인데 갓 스무살 무렵에 데뷔를 해서 부른 걸로 나온다. 1990년은 나에게도 나름대로 희망의 해였다. 지옥 같은 군대 생활에서 어느 정도 익숙해지고 모든 면에서 수월하게 행동을 할 수 있는 소대의 고참이 되었던 해였기 때문이다. 그러나 위기가 없었던 것은 아니다. 상병 말호봉에 분대장이 되기 위해 하사관 교육대에 들어가 6주의 교육을 받고 자대에 돌아왔는데 말 그대로 나의 아래 애들이 요즘 말로 빠져도 한참 빠진 상태가 되어 있었던 것이다. 그렇게 세대 차이를 느낄줄은 정말 꿈에도 몰랐던 것이다.

군대 말년이 피곤하게 꼬이게 되었다는 생각을 했을 때 이 노래를 들으면서 서서히 사회와 적응을 하는 시간을 가지게 되었던 것 같다. 그런데 제일 중요한 것은 이 노래를 내가 잘 부를 수 있는 노래였기에 더 좋아하는 사랑하는 노래가 되지 않았나 싶다.

리듬도 어렵지 않았고 나의 목소리 톤과 음색과 정말 어울리는 궁합을 가진 노래가 이 노래 '사랑은 기다림으로'였다. 그래서 노래방에 가면 꼭 부르고 점수를 잘 받는 노래였다. 크게 히트를 쳐 많은 사람이 기억하는 노래는 아니라도 난 이상하게 이 노래가 너무 좋고 그 생각은 지금도 변함이 없다. 결국 내가 사랑하고 좋아하는 노래가 되기 위해서는 언제나 내가 쉽게 잘 부를 수 있으면 그 기본적인 조건을 모두 충족하게 된 것이다.

사랑해도 떠나야 한다. 사랑했는데 떠날 수밖에 없는 사연이 왜 없지 않겠는가. 그리고 상대가 떠났을 때 잊어버렸을 때 문득 그 사람이 그때 나와 그, 우리가 그것이 사랑이란 걸 깨닫는 경우도 많다. 이 노래는 참 간결하면서도 애절한 마음을 잘 담은 예쁜 리듬이 우선 제일 좋았다. 그리고 가수의 성향도 나랑 비슷한 것 같아서 말년휴가를 나가서 이 가수의 테잎을 사서 많이 들었다. 따라부르기도 쉬웠다. 이 노래는 군대 말년의 복잡한 심경을 정화시키고 누군가 나의 연인이 생기면 불러주고픈 노래로 자리 잡았다. 그렇다. 버리지 않고 기다리는 것이다. 사랑은. 언제나 기다리고 또 기다리는 것이 사랑을 보여주는 것이고 그 사람을 위한 최고의 사랑이 아닐까 싶다.

작가의 말

카세트 데크의 열림 버튼을 누르면 탁하고 문이 열린다. 테잎을 넣고 닫는다. 이어서 플레이 버튼 ▶을 누르면 두 개의 톱니바퀴가 서로 한 방향으로 돌아가면서 감긴다. 그러면 가수의 목소리가 음악과 함께 울려 퍼지며 내가 사랑하는 노래가 시작 된다. 그리고 나는 내가 사랑하는 노래를 함께 부른다. 지금은 거의 카세트 테잎의 추억들.

우리는 좋아하는 가수의 노래를 듣기 위해 레코드 가게나 전파사에 히트곡을 녹음해달라는 부탁하기도 했다. 공 테이프 값에 얼마의 수고비, 복제비를 지불했다. 그리고 사랑하는 연인이나 친구가 좋아하는 곡을 녹음해 선물해주기도 했다. 우리 때는 그러니까 인터넷이 없던 시절이었다. 이메일도 없었다. 우리의 마음을 전달하는 방법은 하얀 종이 위에 마음을 꾹꾹 담아 눌러 편지를 쓰는 것이다. 그 진심이 편지를 펼치면 나타나도록 노력했는데 우체통에는 빨갛고 노란 꽃무늬 하트 편지봉투가 많이 배달되었다.

노래를 즐겨 부르는 사람은 좋은 사람이 많다. 아울러 편지를 쓰는 사람과 마찬가지로 마음이 예쁘다. 마음이 예쁜 사람은 편지를 자주 쓰거나 또 노래를 좋아하곤 한다. 나는 앞으로도 노래를 잘은 못해도 자주 부르고, 잊었던 편지를 자주 쓰고 싶다. 그것이 착하고 아름다운 세상을 사는 살아가는 방법이라 믿는다. 나는 노래를 사랑하는 서정적이고 좋은 사람이 되고 싶다.